MENTOR-REPETITORIEN

Ba

Analytische Geometrie der Ebene II

Kegelschnitte

Von

Oberstudienrat Theo Kühlein

Mit 91 Abbildungen

MENTOR-VERLAG
MÜNCHEN

Auflage:	*8.*	*7.*	*6.*	*5.*	*4.*	*Letzte Zahlen*
Jahr:	*1977*	*76*	*75*	*74*	*73*	*maßgeblich*

Zeichnungen: Dipl.-Ing. Peter Bauer
Druck: Druckhaus Langenscheidt, Berlin-Schöneberg
Printed in Germany (WS) · ISBN 3-580-63270-1

VORWORT

Im mathematischen Unterricht der Oberstufe an den Gymnasien nimmt die Analytische Geometrie einen wichtigen Platz ein. Ihre Aufgabe ist, geometrische Probleme in algebraische Form zu kleiden und sie auf diese Weise der rechnerischen Behandlung zugänglich zu machen.

Der Lehrstoff ist auf die Bände 26 und 27 verteilt. In dem vorliegenden zweiten Teil werden Parabel, Ellipse und Hyperbel als Ortslinien abgeleitet und die für diese Kurven wichtigen Beziehungen behandelt. Es folgt eine gemeinsame Schau dieser „Kegelschnitte" als Schnitte durch einen Kegel (§ 67.2) und als geometrischer Ort (§ 68.5 und Aufg. 116) sowie die Untersuchung der Scheitelgleichung (§ 68.1) und der Polargleichung (§ 69). Zum Schluß wird die allgemeine Gleichung eines gedrehten Kegelschnitts diskutiert (§ 71).

Über 100 Aufgaben, darunter zahlreiche Ortsaufgaben, mit angedeutetem Lösungsweg und den Ergebnissen, geben dem Lernenden Gelegenheit, in dieses interessante Gebiet einzudringen. Zu jeder Aufgabe sollte man eine maßstäbliche Zeichnung auf Millimeterpapier anfertigen; sie gestattet zugleich die Nachprüfung der rechnerischen Ergebnisse.

In den Aufgaben begegnen wir den alten mathematischen Problemen der Dreiteilung eines Winkels (mit Hilfe einer Hyperbel) und der Verdopplung eines Würfels (Delisches Problem, mit Hilfe einer Parabel). An passender Stelle sind physikalische Beispiele wie das Schallmeßverfahren, die Interferenzkurven, der Wirkungsgrad eines Scheinwerfers und das Cardanische Getriebe eingestreut. Für die sphärische Trigonometrie wichtige Aufgaben sind die (gedrehte) Ellipse als Schrägbild eines Kreises und die Bestimmung der Schnittpunkte von Gerade und Ellipse.

THEO KÜHLEIN

INHALT

Die Kegelschnitte

Vergleichende Betrachtungen

Die allgemeine Gleichung der Kegelschnitte

Anhang

Band 26 (Analytische Geometrie I) **enthält:**

Die Gerade

Der Kreis

Mathematische Zeichen

Auszug aus DIN 1302 vom Februar 1961

Zeichen	Bedeutung
$\cdots$	und so weiter, bis
$=$	gleich
$\equiv$	identisch gleich
$\neq$	nicht gleich, ungleich
$\not\equiv$	nicht identisch gleich
$\sim$	proportional, ähnlich
$\approx$	angenähert, nahezu gleich (rund, etwa)
$\cong$	kongruent
$\triangleq$	entspricht
$\rightarrow$	gegen, nähert sich, strebt nach, konvergiert nach
$<$	kleiner als
$>$	größer als
$\leqq$	kleiner oder gleich, höchstens gleich
$\geqq$	größer oder gleich, mindestens gleich
$\ll$	klein gegen
$\gg$	groß gegen
$\parallel$	parallel
$\nparallel$	nicht parallel
$\uparrow\uparrow$	gleichsinnig parallel
$\uparrow\downarrow$	gegensinnig parallel
$\perp$	rechtwinklig zu, senkrecht auf
$\triangle$	Dreieck
$\varnothing$	Durchmesser
$\sphericalangle$	Winkel
$\overline{AB}$	Strecke AB
$\overset{\frown}{AB}$	Bogen AB
$\lvert\varrho\rvert$	absoluter Betrag von ϱ
$\sqrt[n]{}$	n-te Wurzel aus
i	imaginäre Einheit
π	Pi = LUDOLFsche Zahl = 3,14 159...
∞	unendlich
lim	Limes
$f(x)$	f von x
lg	Zehnerlogarithmus (BRIGGSscher)
$\sin\alpha$	Sinus von α
$\cos\alpha$	Cosinus von α
$\tan\alpha$	Tangens von α
$\cot\alpha$	Cotangens von α

DIE KEGELSCHNITTE

DIE PARABEL

§ 42 Definition und Konstruktion

Die Parabel $y = ax^2 + bx + c$, speziell die Parabel $y = x^2$ wurde als „quadratische Funktion" bereits in MR 24 (§ 79) behandelt. Als ideale Geschoßbahn ist uns die Parabel in MR 14 (§ 55) begegnet. Das Weg-Zeit-Gesetz der gleichmäßig-beschleunigten Bewegung $s = \frac{1}{2}bt^2$ wird zeichnerisch durch eine Parabel wiedergegeben.

1. Analytische Definition

Die Parabel ist der Ort aller Punkte, die von einem festen Punkt F (dem Brennpunkt) und einer gegebenen Geraden l (der Leitlinie) gleichen Abstand haben (Abb. 78).

Wie bei allen Ortsaufgaben legen wir zunächst das Achsenkreuz fest. Es ist zweckmäßig, durch den kürzesten Abstand des Brennpunktes von der Leitlinie ($FL = p$) die x-Achse zu legen und die Mitte dieser Strecke als Nullpunkt zu wählen, so daß der Nullpunkt ein Punkt der Parabel ist.

Zeichnet man über FL ein Quadrat $LFQR$, so ist auch Q ein Parabelpunkt.

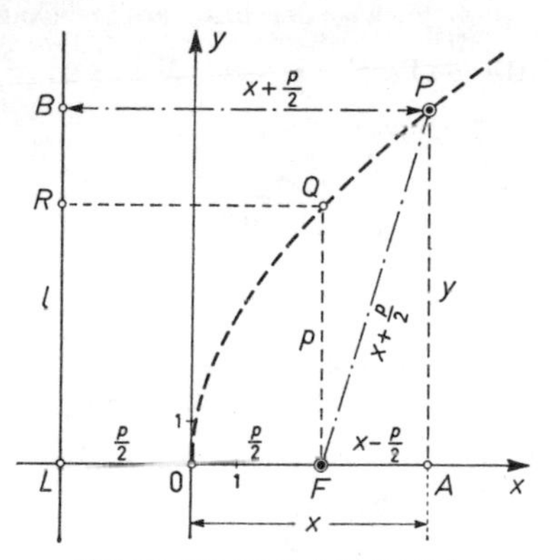

Abb. 78. Die Parabel als Ortslinie

Für einen beliebigen Punkt P soll $PF = PB = x + \dfrac{p}{2}$ sein. Im rechtwinkligen Dreieck FAP liefert der Pythagoras

$$y^2 + \left(x - \frac{p}{2}\right)^2 = \left(x + \frac{p}{2}\right)^2, \quad \text{daraus sofort}$$

$$\boldsymbol{y^2 = 2px} \quad \text{oder} \quad \boldsymbol{y = \pm\sqrt{2px}} \qquad (42.1)$$

2. Diskussion

2.1 Für $x = 0$ ist auch $y = 0$; die Parabel geht durch den Nullpunkt; dieser Punkt heißt der *Scheitel* der Parabel.

2.2 Wegen des doppelten Vorzeichens der Wurzel liegt die Parabel symmetrisch zur x-Achse. Die durch den Scheitel und den Brennpunkt gelegte Gerade (hier die x-Achse) heißt die *Achse* der Parabel; sie steht senkrecht auf der Leitlinie.

2.3 Für x kommen nur positive Werte in Betracht.

2.4 Für $x = \frac{1}{2}p$ ist $y = \pm p$; die Ordinate im Brennpunkt hat die Länge p. Die Strecke $2p$ wird als die *Sperrung* der Parabel bezeichnet.

Diese Tatsache ist wichtig, wenn man eine Parabel skizzieren will, etwa $y^2 = 4x$. Man trage auf der Parabelachse vom Scheitel aus $SF = \frac{1}{2}p = 1$ ab und zeichne in F die Senkrechte $FP_1 = FP_2 = 2$ nach oben und unten. Für $x = 4$ ist $y = \pm 4$, so daß man zwei weitere Punkte Q_1 und Q_2 gewinnt (Abb. 79).

2.5 Die Parabel $y^2 = 2px$ ist in bezug auf die Winkelhalbierende des I. Quadranten das Spiegelbild der Parabel $x^2 = 2py$ oder $y = \frac{1}{2p}x^2$, also der uns bereits bekannten zur y-Achse symmetrischen Parabel $y = ax^2$ (Abb. 80).

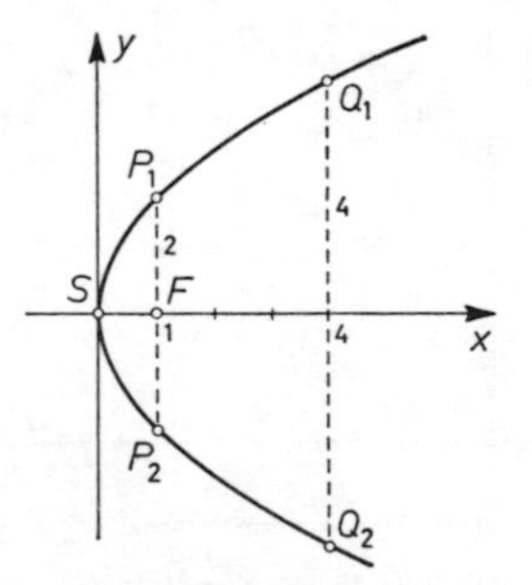

Abb. 79. Skizzieren einer Parabel

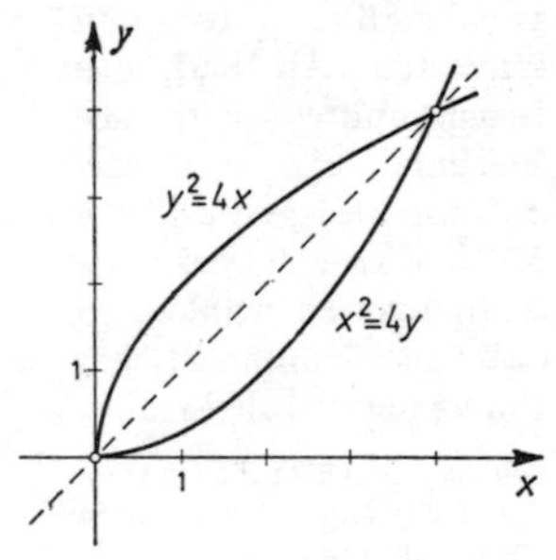

Abb. 80. Spiegelbildliche Parabeln

2.6 Die Parabel $y^2 = -2px$ oder $y = \pm\sqrt{-2px}$ existiert nur für negative x-Werte; sie ist nach links geöffnet. Ihr Spiegelbild in Bezug auf die Winkelhalbierende des I. Quadranten ist die nach unten geöffnete Parabel $y = -\frac{1}{2p}x^2$.

3. Konstruktion (Abb. 81)

Gegeben ist der Abstand des Brennpunktes F von der Leitlinie l, etwa $LF = 2$. Man ziehe zur Leitlinie eine Anzahl parallele Geraden im Abstand 1 cm und schlage um F Kreise mit den entsprechenden Radien. Die Schnittpunkte sind auf Grund der Definition Punkte der Parabel.

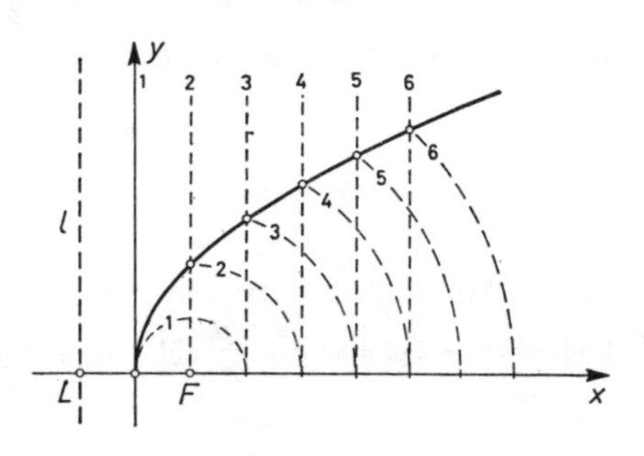

Abb. 81. Konstruktion der Parabel

4. Graphische Darstellung, etwa $y = 6x$

x	0	0,5	1	1,5	2	3	4	5	6
$\pm y$	0	$\sqrt{3}$	$\sqrt{6}$	3	$2\sqrt{3}$	$3\sqrt{2}$	$2\sqrt{6}$	$\sqrt{30}$	6
		1,73	2,45		3,46	4,23	4,90	5,48	

§ 43 Tangente und Normale

1. Die Tangente

Wir wollen die Gleichung der Tangente an die Parabel $y^2 = 2px$ im Punkt $P_1\,(x_1;\,y_1)$ aufstellen.

Erste Art: Zunächst bringen wir eine Gerade $y = mx + b$ mit der Parabel zum Schnitt:

$$m^2x^2 + 2mbx + b^2 = 2px$$

$$m^2x^2 - 2x\,(p - mb) + b^2 = 0$$

$$x = \frac{1}{m^2}\left[p - mb \pm \sqrt{(p - mb)^2 - m^2b^2}\right]$$

Damit die beiden Schnittpunkte zusammenfallen, die Gerade also zur Tangente wird, muß der Radikand den Wert Null haben:

$$p^2 - 2mbp = 0\,, \quad \text{daraus} \quad m = \frac{p}{2b}$$

Dann ist $\qquad x_1 = \dfrac{p - mb}{m^2} = \dfrac{2b^2}{p} \quad$ und $\quad y_1 = 2b$

mithin $$b = \frac{y_1}{2} \quad \text{und} \quad m = \frac{p}{y_1}$$

Wir setzen diese Werte in die Geradengleichung ein:

$$y = \frac{p}{y_1} x + \frac{y_1}{2} \quad \text{oder} \quad y_1 y = px + \frac{y_1^2}{2} = px + px_1$$

Tangentengleichung

$$\boldsymbol{y_1 y = p(x + x_1)} \qquad (43.1)$$

Zweite Art: Einfacher kommt man durch Differenzieren zum Ziel: $2yy' = 2p$, also $y' = \frac{p}{y_1}$. Mit der Einpunktform erhalten wir

$$y - y_1 = \frac{p}{y_1}(x - x_1) \quad \text{oder} \quad y_1 y = px + y_1^2 - px_1 = px + px_1$$

Merkregel: Schreibt man die Parabelgleichung in der Form

$$y \cdot y = px + px = p(x + x)$$

so erhält man daraus die Tangentengleichung, indem man an die Veränderlichen je einmal den Index 1 setzt:

$$y_1 \cdot y = p(x + x_1)$$

Achsenschnittpunkte x_0 und y_0:

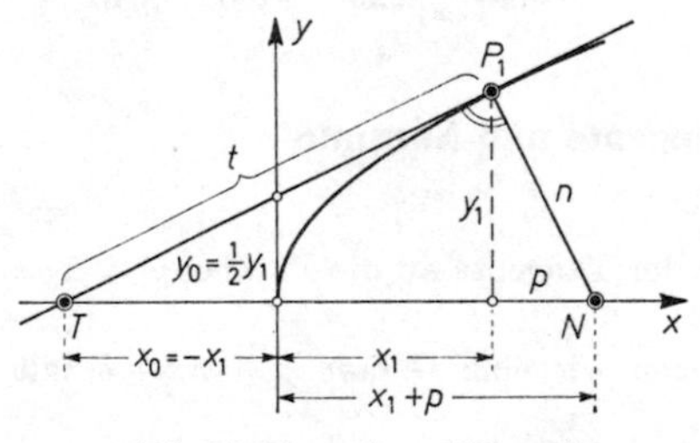

Abb. 82. Tangente und Normale

Es wird $y = 0$ für $x = -x_1$; für $x = 0$ wird $y = \frac{1}{2}y_1$. Die Parabeltangente schneidet die x-Achse bei $-x_1$ und die y-Achse bei $\frac{1}{2}y_1$. Mit diesen Daten läßt sich eine Tangente an die Parabel leicht zeichnen (Abb. 82).

Die im Scheitel (hier dem Nullpunkt) gezogene Tangente heißt die *Scheiteltangente* (hier die y-Achse).

2. Die Normale

Unter der Normalen versteht man das Lot auf der Tangente im Berührpunkt P_1. Da die Tangente die Steigung $\frac{p}{y_1}$ hat, so ist die Steigung der Normalen $-\frac{y_1}{p}$, und ihre Gleichung lautet

$$y - y_1 = -\frac{y_1}{p}(x - x_1) \quad \text{oder} \quad y_1 x + p y = y_1 (p + x_1)$$

Hieraus ergibt sich der Schnittpunkt N der Normalen mit der x-Achse, nämlich $x_N = x_1 + p$.

3. Länge von Tangente und Normale

Unter der Länge der Tangente bzw. der Normalen versteht man die zwischen dem Berührpunkt und dem Schnittpunkt mit der x-Achse liegenden Strecken $t = P_1T$ und $n = P_1N$:

$$t^2 = 4x_1^2 + y_1^2 = 4x_1^2 + 2px_1 = 2x_1(2x_1 + p)$$
$$n^2 = p^2 + y_1^2 = p^2 + 2px_1 = p(2x_1 + p)$$

Probe: $t^2 + n^2 = (2x_1 + p)^2$.

4. Die Brennpunktseigenschaft der Parabel

In der Physik wird gezeigt, daß ein Spiegel, dessen Schnitt eine Parabel ist („Parabolspiegel"), alle zur Achse parallelen Strahlen in den Brennpunkt reflektiert*.

Wir betrachten ein kleines Stück des Spiegels in der Umgebung des Punktes P und ersetzen den kleinen Parabelbogen durch die Tangente in P; dann ist die Normale das Einfallslot (Abb. 83).

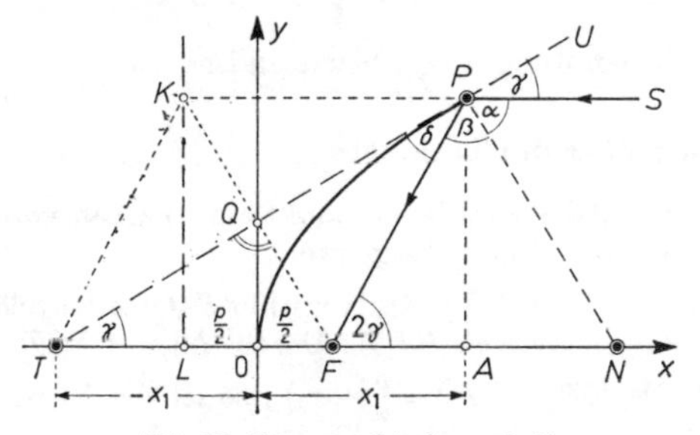

Abb. 83. Brennpunktseigenschaft

Wird der Strahl SP in P nach F reflektiert**, dann muß nach dem Reflexionsgesetz der Einfallswinkel α gleich dem Reflexionswinkel β sein, was wir jetzt beweisen wollen.

* Näheres siehe MR 33, S. 100.

** Die vom Brennpunkt F nach einem Parabelpunkt P gezogene Gerade wird als *Brennstrahl* bezeichnet.

Erster Beweis (geometrisch)

Es ist $$TF = TO + OF = x_1 + \frac{p}{2}$$

ferner nach Definition $$PF = PK = LA = LO + OA = \frac{p}{2} + x_1$$

mithin $$TF = PF$$

folglich ist das Dreieck TFP gleichschenklig, also

$$\gamma = \delta$$

Da auch $\sphericalangle\, UPS = \gamma$ (als Stufenwinkel), so folgt

$$\alpha = \beta$$

Zweiter Beweis (analytisch)

Falls $\alpha = \beta$, so ist $\gamma = \delta$, mithin $\sphericalangle\, PFN = 2\gamma$. Wir müssen also zeigen, daß für den Tangenten-Steigungswinkel γ der Brennstrahl PF die Steigung 2γ hat.

$$\tan\gamma = \frac{p}{y_1}\text{, daher } \tan 2\gamma = \frac{\frac{2p}{y_1}}{1 - \frac{p^2}{y_1^2}} = \frac{2py_1}{y_1^2 - p^2} = \frac{2py_1}{2px_1 - p^2} = \frac{2y_1}{2x_1 - p}$$

Andererseits ist $$\tan 2\gamma = \frac{y_1}{x_1 - \frac{p}{2}} = \frac{2y_1}{2x_1 - p}$$

womit die Behauptung $\alpha = \beta$ bewiesen ist.

5. Ein Satz über die Tangente

Der Fußpunkt Q des vom Brennpunkt auf eine Tangente gefällten Lotes liegt auf der Scheiteltangente.

Wegen $AO = OT$ ist $PQ = QT$, mithin FQ das Mittellot in dem gleichschenkligen Dreieck PFT. Daraus folgt $\sphericalangle\, FQT = 90°$ und $FQ \parallel NP$. Da $KP = TF\ (= \frac{p}{2} + x_1)$, so ist das Viereck $PKTF$ ein Rhombus.

§ 44 Pol und Polare

Bringen wir die in zwei Parabelpunkten P_1 und P_2 gezeichneten Tangenten zum Schnitt (P_0), so nennen wir – wie beim Kreis – den Punkt P_0 den *Pol* und die Berührsehne P_1P_2 die *Polare*. (vgl. Abb. 84).

1. Der Pol als Schnittpunkt zweier Tangenten

$$\left.\begin{aligned} y_1 y &= p(x + x_1) \\ y_2 y &= p(x + x_2) \end{aligned}\right\} \quad \frac{x + x_1}{y_1} = \frac{x + x_2}{y_2}, \quad \text{daraus}$$

$$x(y_2 - y_1) = x_2 y_1 - x_1 y_2 = \frac{y_2^2}{2p} \cdot y_1 - \frac{y_1^2}{2p} \cdot y_2 = \frac{y_1 y_2}{2p}(y_2 - y_1)$$

$$x_0 = \frac{y_1 y_2}{2p} = \sqrt{x_1 x_2}$$

$$\text{dazu} \quad y_0 = \frac{p}{y_1}\left(\frac{y_1 y_2}{2p} + x_1\right) = \frac{p}{y_1} \cdot \frac{y_1 y_2 + 2 p x_1}{2p} = \frac{y_1 y_2 + y_1^2}{2 y_1}$$

$$y_0 = \frac{y_1 + y_2}{2}$$

Für P_0 ist $\qquad x_0 = \sqrt{x_1 \cdot x_2}$ und $y_0 = \frac{1}{2}(y_1 + y_2) \qquad$ (44.1)

Beachte: x_0 ist das geometrische Mittel von x_1 und x_2;
y_0 ist das arithmetische Mittel von y_1 und y_2.

2. Die Polare als Berührsehne

Berührsehne: $\qquad y - y_1 = \frac{y_2 - y_1}{x_2 - x_1}(x - x_1)$

oder $\qquad y(x_2 - x_1) = x(y_2 - y_1) + x_2 y_1 - x_1 y_2$

und mit der Parabelgleichung:

$$y \cdot \frac{y_2^2 - y_1^2}{2p} = x(y_2 - y_1) + \frac{y_2^2 y_1 - y_1^2 y_2}{2p} \qquad \Big| \cdot \frac{p}{y_2 - y_1}$$

$$y \cdot \frac{y_2 + y_1}{2} = px + \frac{y_2 y_1}{2}$$

und mit (.1) $\qquad y y_0 = px + p x_0$

Polare

$$\boldsymbol{y_0 y = p(x + x_0)} \qquad (44.2)$$

Wie beim Kreis haben die Gleichungen der Tangente und der Polaren den gleichen Bau.

3. Konstruktion

der Tangenten von P_0 an die Parabel. Da FQ auf der Tangente senkrecht steht (siehe 43.4), so zeichnet man über P_0F den THALES-kreis, der die y-Achse in Q_1 und Q_2 schneidet; dann sind P_0Q_1 und

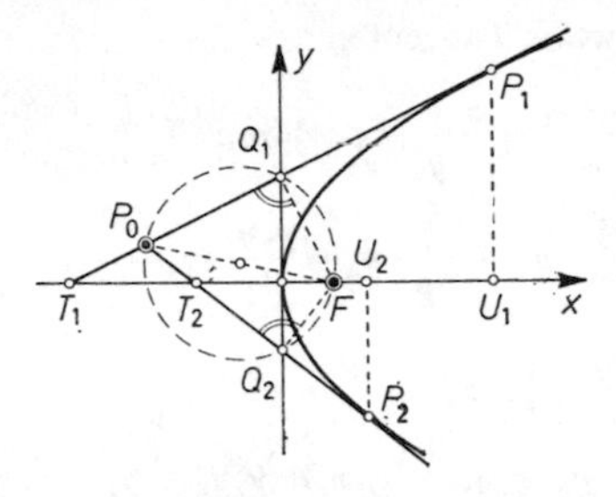

P_0Q_2 die Tangenten. Mit Hilfe der Punkte T_1 und T_2 auf der x-Achse gewinnt man die Abszissen U_1 und U_2 der Berührpunkte und dadurch diese selbst (Abb. 84).

Abb. 84. Konstruktion der Tangenten

§ 45 Durchmesser

Obwohl man von einem „Durchmesser“ eigentlich nur bei einer geschlossenen Kurve reden kann (Kreis, Ellipse), bezeichnet man auch bei der Parabel – in Analogie zum Kreis – diejenige Linie als Durchmesser, auf der die Mitten paralleler Sehnen liegen.

1. Konstruktion eines Durchmessers

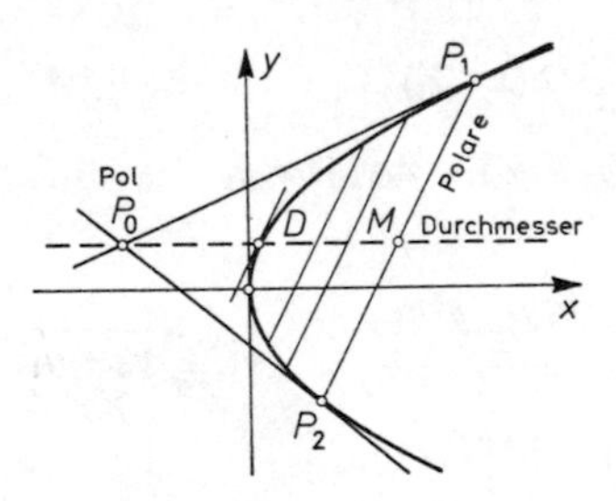

Wir zeichnen in der Parabel $y^2 = 4x$ eine Anzahl Sehnen mit der Steigung 2 und untersuchen, auf welcher Linie die Mitten dieser parallelen Sehnen liegen (Abb. 85).

Abb. 85. Durchmesser

Eine der parallelen Sehnen habe die Gleichung $y = 2x + b$. Wir bringen sie mit der Parabel $y^2 = 4x$ zum Schnitt:

$$4x^2 + 4bx + b^2 = 4x \quad \text{oder} \quad x^2 - (1 - b)\,x + \tfrac{1}{4}b^2 = 0$$

Nach VIETA ist die Summe der beiden Lösungen $x_1 + x_2 = 1 - b$,

also die Abszisse der Sehnenmitte $x_M = \frac{1}{2}(x_1 + x_2) = \dfrac{1 - b}{2}$.

Für die Ordinate erhalten wir dann $y_M = 2 \cdot \dfrac{1 - b}{2} + b = 1$.

Alle Sehnenmitten haben die Ordinate $y = 1$, liegen also auf einer Parallelen zur Parabelachse.

2. Gleichung eines Parabeldurchmessers

Wir bringen eine der parallelen Sehnen $y = mx + b$ mit der Parabel $y^2 = 2px$ zum Schnitt:

$$x^2 - 2x\frac{p - mb}{m^2} + \frac{b^2}{m^2} = 0$$

Nach VIETA ist $x_M = \frac{p - mb}{m^2}$ und $y_M = m \cdot \frac{p - mb}{m^2} + b = \frac{p}{m}$

Der Durchmesser ist eine Parallele zur Parabelachse; er hat die Gleichung

$$y = \frac{p}{m} \tag{45.1}$$

Seine Lage ist nur von der Steigung m der Parallelenschar abhängig.

3. Sätze über den Parabeldurchmesser

3.1 Ist M die Mitte der Polaren P_1P_2, so liegt der Pol P_0 auf dem durch M gehenden Durchmesser.

Es ist $y_M = \frac{1}{2}(y_1 + y_2)$, ebenso nach (44.1) $y_0 = \frac{1}{2}(y_1 + y_2)$, daher

$$y_M = y_0$$

3.2 Die Mitte D der Strecke MP_0 ist ein Punkt der Parabel.

Es ist $$x_D = \tfrac{1}{2}(x_M + x_0) \quad \text{und} \quad y_D = y_0$$

Mit $$x_M = \frac{x_1 + x_2}{2} = \frac{y_1^2 + y_2^2}{4p} \quad \text{und} \quad x_0 = \frac{y_1 y_2}{2p} = \frac{2y_1 y_2}{4p}$$

wird $$x_M + x_0 = \frac{(y_1 + y_2)^2}{4p} = \frac{1}{p}\left(\frac{y_1 + y_2}{2}\right)^2 = \frac{1}{p}y_0^2$$

also $$x_D = \frac{1}{2p}y_0^2 = \frac{1}{2p}y_D^2 \quad \text{oder} \quad y_D^2 = 2px_D$$

Der Punkt D erfüllt die Parabelgleichung.

3.3 Die Tangente im „Endpunkt" D des Durchmessers läuft parallel zur Sehnenschar.

Die Gleichung der Tangente in D lautet $y_D y = p(x + x_D)$. Sie hat die Steigung $\mu = \frac{p}{y_D} = \frac{p}{y_0}$, worin $y_0 = \frac{p}{m}$ ist. Mithin ist $\mu = m$.

Zum gleichen Ergebnis kommen wir, wenn wir die parallelen Sehnen solange verschieben, bis ihre Endpunkte P_1 und P_2 in D zusammenfallen.

§ 46 Parabel in allgemeiner Lage

1. Parabelgleichung

Hat der Parabelscheitel S die Koordinaten $S\,(u\,;\,v)$, so legen wir durch S ein achsenparalleles Koordinatensystem (Abb. 86):

$$\eta^2 = 2p\,\xi$$

Da $\xi = x - u$ und $\eta = y - v$, so ergibt sich

$$(y - v)^2 = 2p\,(x - u) \tag{46.1}$$

Durch Ausmultiplizieren erhält man nach dem Ordnen

$$2px - y^2 + 2vy - (2pu + v^2) = 0$$

oder auch
$$x = \frac{1}{2p}\,y^2 - \frac{v}{p}\,y + \frac{2pu + v^2}{2p}$$

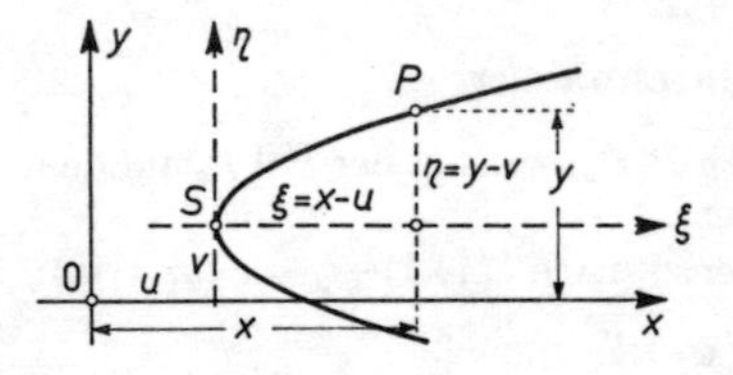

Abb. 86. Verschobene Parabel

Die allgemeine Parabelgleichung enthält neben dem linearen x ein quadratisches und ein lineares Glied von y, sowie ein absolutes Glied. (Vergl. damit die zur Winkelhalbierenden des I. Quadranten spiegelbildliche Parabel $y = ax^2 + bx + c$.)

2. Tangentengleichung

Wir legen den Scheitel S der Parabel

$$(y - v)^2 = 2p\,(x - u)$$

in den Nullpunkt eines neuen Koordinatensystems. Die Tangente der Parabel $\eta^2 = 2p\,\xi$ hat die Gleichung

$$\eta_1 \eta = p\,(\xi + \xi_1)$$

oder mit $\xi = x - u$ und $\eta = y - v$:

$$(y_1 - v)\,(y - v) = p\,(x - u + x_1 - u)$$

$$(y_1 - v)\,(y - v) = p\,(x + x_1 - 2u) \tag{46.2}$$

Beispiel: Wie heißen die Tangenten in den Punkten $P_{1,2}\,(x_{1,2} = 38)$ an die Parabel $7\tfrac{1}{2}x = y^2 - 10y + 85$?

Parabel: $\frac{15}{2}x = (y - 5)^2 + 60$ oder $\frac{15}{2}\,(x - 8) = (y - 5)^2$

also $$S\,(8\,;\,5)$$

Ordinaten der Berührpunkte aus $(y - 5)^2 = 7\tfrac{1}{2}\,(38 - 8) = 225$, also $y_{1,2} = 5 \pm 15$, mithin $P_1\,(38\,;\,20)$, $P_2\,(38\,;\,-10)$

Tangenten: $\pm 15(y-5) = \frac{15}{4}(x+38-16) = \frac{15}{4}(x+22)$

$$y - 5 = \pm \tfrac{1}{4}(x+22) \quad \text{oder}$$

$y = \frac{1}{4}x + 10\frac{1}{2}$ und $y = -\frac{1}{4}x - \frac{1}{2}$; Schnittpunkt $P_0(-22; 5)$

Anmerkung: Die Rechnung wird wesentlich kürzer, wenn wir den Scheitel der Parabel in den Nullpunkt verschieben. Dann ist $\xi_1 = 30$ und $\eta_1 = \pm 15$. Daher liegen die Schnittpunkte der Tangenten mit der x-Achse bei $\xi_0 = -30$, und ihre Steigungen sind $\pm \frac{15}{60} = \pm \frac{1}{4}$. Somit lauten ihre Gleichungen

$$\eta = \pm \tfrac{1}{4}\xi \pm 7\tfrac{1}{2}$$

Durch Rückverwandlung in das ursprüngliche System kommt

$$\left.\begin{array}{ll} y - 5 = \frac{1}{4}(x-8) + 7\frac{1}{2} & \text{oder} \quad y = \frac{1}{4}x + 10\frac{1}{2} \\ \text{und} \quad y - 5 = -\frac{1}{4}(x-8) - 7\frac{1}{2} & \text{oder} \quad y = -\frac{1}{4}x - \frac{1}{2} \\ \text{Schnittpunkt} \quad x_0 = -30 + 8 = -22, & y_0 = 0 + 5 = 5 \end{array}\right\} \text{(wie oben)}$$

§ 47 Aufgaben

1. In welchen Punkten berühren die von P_0 an die Parabel $y^2 = 2px$ gezogenen Tangenten:

a) $P_0(-\frac{1}{3}; \frac{5}{3})$, $p = 4$ b) $P_0(-8; 2)$, $p = 2$

Ergebnisse:

a) $P_1(2; 4)$, $P_2(\frac{1}{18}; -\frac{2}{3})$ b) $P_1(4; -4)$, $P_2(16; 8)$

2. Vom Punkt $P_0(-3; 1\frac{1}{2})$ werden an die Parabel $y^2 = 6x$ die Tangenten gelegt. Wie heißen sie und wo berühren sie? Welchen Winkel δ schließen sie ein? Welche Fläche hat das Viereck, das von dem Pol, den Berührpunkten und dem Brennpunkt gebildet wird?

Ergebnis: Polare $y = 2x - 6$; $P_1(6; 6)$, $P_2(1\frac{1}{2}; -3)$
Tangenten $y = \frac{1}{2}x + 3$ und $y = -x - 1\frac{1}{2}$
$\tan\delta = 3$; $\delta = 71°35'$; $F = 23\frac{5}{8}$

3. An die Parabel $y^2 = 5x$ werden in den Punkten $P(\frac{1}{20}; \frac{1}{2})$, $Q(\frac{4}{5}; -2)$ und $R(9\frac{4}{5}; 7)$ die Tangenten gezogen. In welchen Punkten (A, B, C) schneiden sie sich? Berechne die Länge der Seiten und Höhen des Dreiecks ABC, sowie seine Winkel und seine Fläche. Welche Koordinaten hat der Höhenschnittpunkt?

Tangenten $5x - y + \frac{1}{4} = 0$; $5x + 4y + 4 = 0$; $5x - 14y + 49 = 0$
$A(-2\frac{4}{5}; 2\frac{1}{2})$, $B(\frac{7}{10}; 3\frac{3}{4})$, $C(-\frac{1}{5}; -\frac{3}{4})$
$a = 4{,}59$; $b = 4{,}10$; $c = 3{,}72$; $h_a = 3{,}19$; $h_b = 3{,}51$; $h_c = 3{,}92$
$\alpha = 71°$; $\beta = 59°$; $\gamma = 50°$; $F = 7\frac{5}{16}$; $H(-1{,}25; 2{,}19)$

4. Der Winkel δ zwischen den vom Pol P_0 an die Parabel gezogenen Tangenten, sowie die Fläche des Dreiecks $P_0P_1P_2$ sollen durch die Koordinaten von P_0 ausgedrückt werden.

$$m_1 = \frac{p}{y_1} \quad \text{und} \quad m_2 = \frac{p}{y_2} \quad \text{liefert} \quad \tan\delta = \frac{p\,(y_2 - y_1)}{p^2 + y_1 y_2}$$

Aus $y_2 + y_1 = 2y_0$ und $y_1 y_2 = 2px_0$ lassen sich y_2 und y_1 ausdrücken:

$$y_{1,2} = y_0 \pm \sqrt{y_0^2 - 2px_0} = y_0 \pm w\,, \quad \text{daraus} \quad y_2 - y_1 = 2w;$$

dann ist
$$\tan\delta = \frac{2pw}{p^2 + 2px_0} = \frac{w}{x_0 + \frac{1}{2}p}$$

Mit der Flächenformel und der Substitution $x = \dfrac{y^2}{2p}$ erhält man

$$F = \frac{1}{p}\left(\frac{y_2 - y_1}{2}\right)^3 = \frac{w^3}{p} \quad \text{mit} \quad w = \sqrt{y_0^2 - 2px_0}$$

Zahlenbeispiel. $P_0\,(-3;\ 1{,}5)$, $p = 3$; $w = 4{,}5$; $\tan\delta = 3$; $F = 30\frac{3}{8}$

5. Gegeben sind eine Parabel und eine Gerade:

a) $6x = y^2 - 6y - 15; \qquad 3x + y + 1\frac{1}{2} = 0$

b) $3x + y^2 + 4y + 28 = 0; \quad x - 2y + 1 = 0$

Man gebe die Koordinaten des Scheitels S und des Brennpunktes F an, ferner die Achsenschnittpunkte der Parabel sowie ihre Schnittpunkte mit der Geraden.

a) $(y - 3)^2 = 6\,(x + 4)$
$S\,(-4;\ 3)$; $F\,(-2\frac{1}{2};\ 3)$
$x_0 = -2\frac{1}{2}$, $y_0 = 7{,}9$ und $-1{,}9$

Die Gerade schneidet in
$A\,(-2\frac{1}{2};\ 6)$ und $B\,(\frac{1}{6};\ -2)$

b) $(y + 2)^2 = -3\,(x + 8)$*
$S\,(-8;\ -2)$; $F\,(-8\frac{3}{4};\ -2)$
$x_0 = -9\frac{1}{3}$, keine Schnittpunkte mit der y-Achse

Die Gerade berührt in
$C\,(-11;\ -5)$

6. Wo und unter welchem Winkel schneidet die Parabel $y^2 = 2x$ den Kreis $(x - 3)^2 + y^2 = 25$?

Ergebnis: 6,47; $\pm$ 3,6; Schnittwinkel $\approx 60°$.

7. Welches sind die Schnittpunkte des Kreises $(x - 7)^2 + y^2 = 16$ mit der Parabel $y^2 = 2x$? Bei welchem Radius (ϱ) würde der Kreis die Parabel berühren? Wie heißen dann die gemeinsamen Tangenten?

* Wegen $p < 0$ ist die Parabel nach links geöffnet.

Ergebnis: $A\ (7{,}73;\ \pm 3{,}93)$ und $B\ (4{,}27;\ \pm 2{,}92)$
Berührung für $\varrho^2 = 13$ im Punkt $P\ (6;\ \pm\sqrt{12})$;
Tangenten $\pm y\sqrt{12} = x + 6$

8. Von der Parabel $4x = y^2 - 6y + 22\frac{1}{2}$ bestimme man den Scheitel S und den Schnittpunkt A mit der x-Achse.
Durch die Punkte S und A wird ein Kreis gezeichnet, dessen Mittelpunkt M auf der x-Achse liegt. Welche Abszisse u hat M und welchen Radius r hat der Kreis?
Aus $(y-3)^2 = 4\,(x - 3\frac{3}{8})$ wird $S\,(3\frac{3}{8};\ 3)$; ferner $A\,(5\frac{5}{8};\ 0)$.
Setzt man in die Kreisgleichung $(x-u)^2 + y^2 = r^2$ die Koordinaten von S und A ein, so erhält man $u = 2\frac{1}{2}$, $r = 3\frac{1}{8}$.

9. Wo und unter welchem Winkel schneidet die Parabel $y^2 = 2px$ den Kreis $(x-u)^2 + y^2 = r^2$?

a) $y^2 = \frac{50}{3}x$; $(x-3)^2 + y^2 = 25$

b) $y^2 = 3x$; $(x-6)^2 + y^2 = 36$

Ergebnisse: a) $P\left(\frac{4}{3};\ \pm\frac{10}{3}\sqrt{2}\right)$, $\tan\delta = \frac{8}{13}\sqrt{2}$, $\delta = 41°$

b) $P\,(9;\ \pm 3\sqrt{3})$, $\tan\delta = \frac{3}{5}\sqrt{3}$, $\delta = 46°$

10. Welchen Radius muß der Kreis $(x+3)^2 + y^2 = r^2$ haben, damit er die Parabel $y^2 = 12x$ rechtwinklig schneidet?

$$m_K = -\frac{x_1 + 3}{y_1},\quad m_P = \frac{6}{y_1},\quad \text{daraus}\quad 6\,(x_1 + 3) = y_1^2 = 12x_1$$

Ergebnis: $x_1 = 3$; $y_1 = \pm 6$; $r = 6\sqrt{2}$

11. Welchen Radius hat der Kreis $(x-u)^2 + y^2 = r^2$, der die Parabel $y^2 = 2px$ berührt? Berührpunkte? Gemeinsame Tangenten in den Berührpunkten?
Wir bringen zunächst beide Kurven zum Schnitt:

$$x = u - p \pm \sqrt{(u-p)^2 + r^2 - u^2}$$

Damit Berührung eintritt, muß der Radikand gleich Null sein:

$$r^2 = p\,(2u - p)$$

Berührpunkte: $x_1 = u - p$, $y_1 = \sqrt{2p\,(u-p)} = \sqrt{r^2 - p^2}$
Beispiel: $u = \frac{17}{3}$, $p = 3$; dann ist $r = 5$, $P\,(\frac{8}{3};\ \pm 4)$
Tangenten: $y = \pm\frac{3}{4}x + 2$

12. Vom Punkt $A\,(-2{,}8;\ 2{,}5)$ werden an die Parabel $y^2 = 5x$ die Tangenten gezogen. Man gebe die Gleichungen der Tangenten und ihre Berührpunkte B und C an! Berechne die Seiten, die Winkel und die Fläche des Dreiecks ABC! Wie heißt der Umkreis des Dreiecks? Unter welchen Winkeln schneiden sich Kreis und Parabel?

Tangenten: $y = \frac{5}{14}x + 3{,}5$ und $y = -\frac{5}{4}x - 1$

Berührpunkte: $B\,(9{,}8\,;\ 7)$, $C\,(0{,}8\,;\ -2)$

$a = 12{,}73\,;\ b = 5{,}76\,;\quad c = 13{,}38\,;\quad F = 36{,}45$

$\alpha = 71°,\quad \beta = 25°20',\quad \gamma = 83°40'$

Umkreis: $(x - 3{,}75)^2 + (y - 4{,}05)^2 = 6{,}73^2$

Die Schnittwinkel von Kreis und Parabel sind als Sehnentangentenwinkel gleich den Umfangswinkeln β und γ.

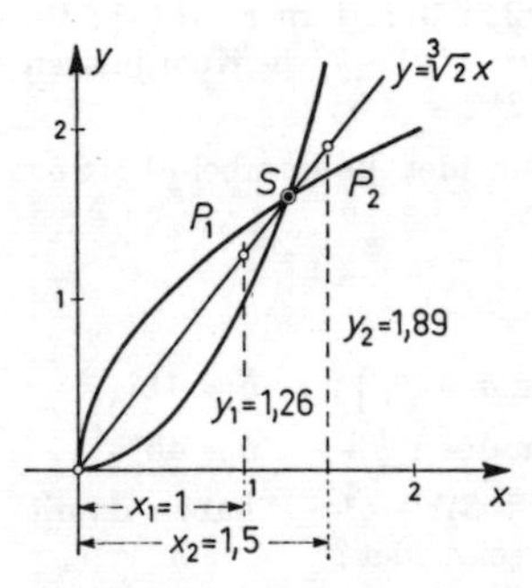

Abb. 87. Das Delische Problem

13. Das Delische Problem der Würfelverdopplung: Die Kante x eines Würfels ist so zu vergrößern (y), daß der neue Würfel das doppelte Volumen hat: $y^3 = 2x^3$. Wir spalten diesen Ausdruck in zwei Funktionen:

$$y^2 = 2x \quad \text{und} \quad y = x^2,$$

das sind zwei Parabeln, deren Schnittpunkt S die Gleichung $y^3 = 2x^3$ oder $y = x\sqrt[3]{2}$ erfüllt. Die letzte Gleichung ist eine Nullpunktsgerade mit der Steigung $\sqrt[3]{2}$ (Abb. 87).

Ist die Abszisse x irgendeines Punktes P der Geraden die kleine Würfelkante, so ist die Ordinate y die große Würfelkante

$(x_1 = 1\,,\ y_1 = 1{,}26\,;\ x_2 = 1{,}5\,,\ y_2 = 1{,}89)$.

Anmerkung: Die Aufgabe ist mit alleiniger Benutzung von Zirkel und Lineal nicht lösbar.

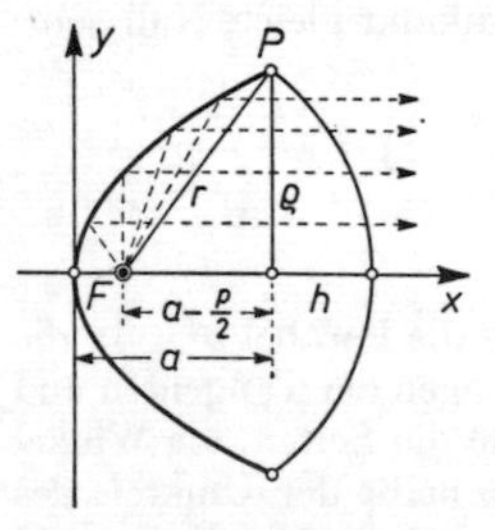

Abb. 88. Parabolischer Scheinwerfer

14. Ein Scheinwerfer besteht aus dem Mantel eines Rotationsparaboloids mit aufgesetzter Kugelhaube; sein Längsschnitt ist also ein Parabelsegment mit angesetztem Kreissegment (Abb. 88). Das Segment der Parabel $y^2 = 2px$ wird durch die Sehne $x = a$ (= 4) begrenzt und hat die „Breite" 2ϱ (= 8); der Mittelpunkt des Kreissegmentes ist der Brennpunkt der Parabel. Wieviel Prozent des von einer Lichtquelle (im Brennpunkt) ausgestrahlten Lichtes tritt als nicht-paralleles Licht aus dem Scheinwerfer? Die Aufgabe ist für das Zahlenbeispiel und allgemein zu lösen.

Für den Punkt P der Parabel ist $\varrho^2 = 2pa$, also $p = \frac{\varrho^2}{2a}$ $(= 2)$

Der Radius des Kreises ist

$$r^2 = \left(a - \frac{p}{2}\right)^2 + \varrho^2 = \left(a - \frac{p}{2}\right)^2 + 2pa = \left(a + \frac{p}{2}\right)^2$$

$$r = a + \frac{p}{2} \; (= 5)$$

Die Höhe des Segmentes ist

$$h = r - \left(a - \frac{p}{2}\right) = p \quad (= 2)$$

Das auf den Mantel des Paraboloids auftreffende Licht tritt parallel aus, während das auf die Kugelhaube treffende Licht divergent bleibt. Da die Lichtquelle ihr Licht kugelförmig in den Raum strahlt, so gibt das Verhältnis (λ) der Kugelhaube ($2\pi r h$) zur Kugeloberfläche ($4\pi r^2$)* den Anteil des nicht-parallelen Lichtes an der Gesamtstrahlung an:

$$\lambda = \frac{2\pi r h}{4\pi r^2} = \frac{h}{2r} \; (= \tfrac{1}{5})$$

Mit den obigen Werten für r und h ist $\lambda = \frac{p}{2a + p}$,

mithin der „Wirkungsgrad“ des Scheinwerfers $\left(= \frac{\text{Parallelstrahlung}}{\text{Gesamtstrahlung}}\right)$

$$\eta = \frac{a}{a + \frac{p}{2}} = \frac{a^2}{a^2 + \left(\frac{\varrho}{2}\right)^2}$$

Hieraus erkennt man, daß bei gegebener „Länge“ a der Wirkungsgrad umso größer wird, je kleiner der „Durchmesser“ 2ϱ bzw. je kleiner die Brennweite $\frac{1}{2}p$ des Scheinwerfers ist.

$\varrho : a$	1	2	3	4	5	$4\sqrt{2}$
$p : a$	$\frac{1}{8}$	$\frac{1}{2}$	$1\frac{1}{8}$	2	$3\frac{1}{8}$	4
η [%]	98,5	94,1	87,7	80	71,9	66,7

15. Zwei Tangenten in den Punkten P_1 und P_2 einer Parabel schneiden sich in P_0. Verbindet man P_1 und P_2 mit dem Brennpunkt F, so sind die Dreiecke FP_0P_1 und FP_0P_2 ähnlich (Abb. 89).

* siehe MR 10, § 8.

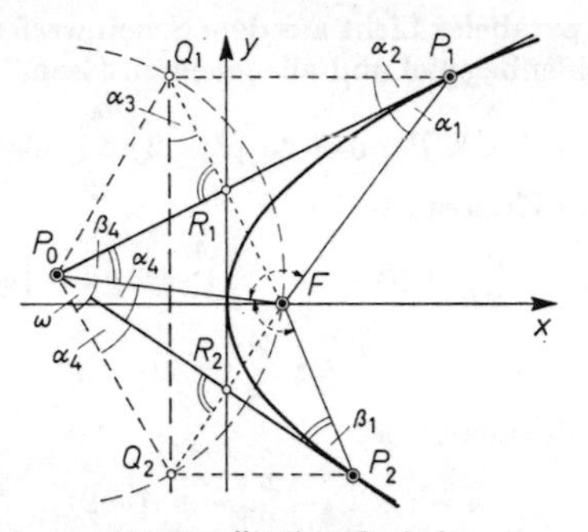

Abb. 89. Ähnliche Dreiecke

Es ist Q_1Q_2 die Leitlinie; nach § 43.5 ist

$\alpha_1 = \alpha_2$ (durch P_0P_1 halbierter Rhombuswinkel)

$\alpha_3 = \alpha_2$ (paarweise aufeinander senkrecht stehende Schenkel)

Im $\triangle\ FQ_1Q_2$ sind R_1P_0 und R_2P_0 die Mittellote, also P_0 der Umkreismittelpunkt dieses Dreiecks. Der Umfangswinkel über FQ_2 ist α_3, der Mittelpunktswinkel ist ω, so daß $\frac{\omega}{2} = \alpha_4 = \alpha_3$ ist. Mithin ist

$$\alpha_1 = \alpha_4\,, \quad \text{entsprechend} \quad \beta_1 = \beta_4$$

Beispiel. $y^2 = 4x$; $P_1\,(4;\,4)$, $P_2\,(2\frac{1}{4};\,-3)$; dann ist $F\,(1;\,0)$, $P_0\,(-3;\,\frac{1}{2})$. Man findet $\tan\alpha = \frac{1}{2}$ und $\tan\beta = \frac{2}{3}$.

16. Man bestätige den Satz: Zeichnet man ein Dreieck ABC aus

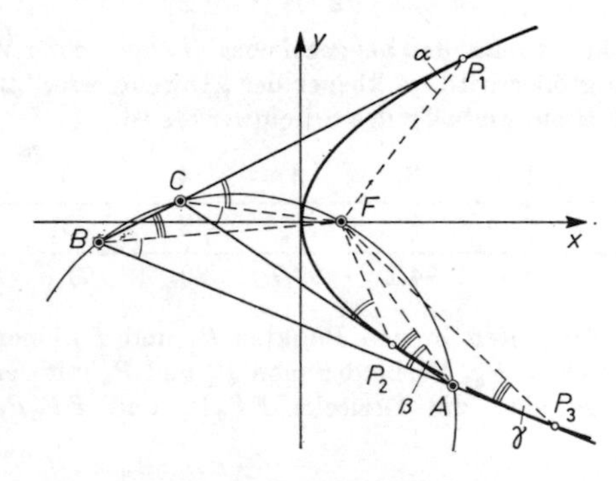

Abb. 90. Tangentendreieck

drei Parabeltangenten (Berührpunkte P_1, P_2, P_3), so geht dessen Umkreis durch den Brennpunkt (Abb. 90).

Aus Aufgabe 15 ergibt sich die Gleichheit der eingetragenen Winkel α, β und γ. Deshalb ist das Viereck $ABCF$ ein Sehnenviereck (α über AF, γ über CF), womit der Satz bewiesen ist.

Beispiel. $y^2 = 4x$; $P_1(4; 4)$, $P_2(2\frac{1}{4}; -3)$, $P_3(6\frac{1}{4}; -5)$;
Dann ist $A(\frac{15}{4}; -4)$, $B(-5; -\frac{1}{2})$, $C(-3; \frac{1}{2})$, $M(-\frac{13}{8}; -\frac{19}{4})$,
$r = \frac{\sqrt{1885}}{8} = 5{,}43$. Der Brennpunkt $(1; 0)$ erfüllt die Gleichung des Kreises $(x + \frac{13}{8})^2 + (y + \frac{19}{4})^2 = \frac{1885}{64}$.

17. An die Parabel $y^2 = 2px$ und den Kreis $x^2 + y^2 = r^2$ sollen die gemeinsamen Tangenten gelegt werden. Gesucht sind die Gleichungen der beiden Tangenten und die Koordinaten der Berührpunkte.

Tg. an K. in P_1: $\quad x_1 x + y_1 y = r^2 \quad \rightarrow \quad \frac{x_1}{r^2}\, x + \frac{y_1}{r^2}\, y = 1$

Tg. an P. in P_2: $\quad y_2 y = p\,(x + x_2) \quad \rightarrow \quad -\frac{1}{x_2}\, x + \frac{y_2}{p x_2}\, y = 1$

Beide Tangenten sind identisch; durch Koeffizientenvergleich erhalten wir

$$\frac{x_1}{r^2} = -\frac{1}{x_2} \quad \text{oder} \quad x_1 x_2 = -r^2 \qquad \text{(I)}$$

und

$$\frac{y_1}{r^2} = \frac{y_2}{p x_2} \quad \text{oder} \quad p x_2 y_1 = r^2 y_2 \qquad \text{(II)}$$

Diese beiden Gleichungen enthalten vier Unbekannte; die beiden fehlenden Gleichungen sind die Kreis- und die Parabelgleichung.

Wir setzen $x_2 = \frac{y_2^2}{2p}$ in (I) und (II) ein:

$$x_1 y_2^2 = -2pr^2 \qquad \text{(Ia)}$$

$$y_1 y_2 = 2r^2 \qquad \text{(IIa)}$$

Nun setzen wir y_2 aus (IIa) in (Ia) ein:

$$2r^2 x_1 = -p y_1^2, \quad \text{also} \quad y_1^2 = -\frac{2r^2 x_1}{p}$$

worin y_1 mit der Kreisgleichung substituiert wird:

$$x_1^2 - \frac{2r^2}{p}\, x_1 - r^2 = 0$$

daraus $x_1 = \frac{r}{p}\left(r \pm \sqrt{r^2 + p^2}\right)$, wobei nur das negative Zeichen der

Wurzel in Frage kommt, also

$$x_1 = \frac{r}{p}(r - w) = -\frac{r}{p}(w - r)$$

Mit diesem Wert lassen sich nun die übrigen Koordinaten berechnen:

$$x_1 = -\frac{r}{p}(w - r), \quad y_1 = \frac{r}{p}\sqrt{2r\,(w - r)}$$

$$x_2 = \frac{r}{p}(w + r), \quad y_2 = \sqrt{2r\,(w + r)}$$

Tangenten: $\pm y\sqrt{2r\,(w - r)} = (w - r)\,x + rp$

Beispiel. $r = 4$; $p = 3$, also $w = 5$; $P_1\left(-\frac{4}{3};\ \pm\frac{8}{3}\sqrt{2}\right)$, $P_2\left(12;\ \pm 6\sqrt{2}\right)$; Tangenten $\pm 2\sqrt{2}\cdot y = x + 12$

18. Eine Parabel mit der Sperrung $2p = 6$, deren Achse der x-Achse parallel läuft, geht durch den Nullpunkt und hat dort die Steigung $\frac{3}{4}$. Wie heißt die Parabel?

$$(y - v)^2 = 6\,(x - u)$$

oder $$y^2 - 2vy + v^2 = 6x - 6u$$

Da die Parabel durch den Nullpunkt geht, ist das absolute Glied gleich Null, also $v^2 = -6u$

Aus $2\,(y - v)\,y' = 6$ ist $y' = \dfrac{3}{y - v}$, also

$$y'(0) = -\frac{3}{v} = \tfrac{3}{4}, \quad \text{daraus} \quad v = -4$$

dann $$u = -\frac{v^2}{6} = -\tfrac{8}{3}$$

Parabel: $(y + 4)^2 = 6\,(x + \frac{8}{3})$ oder $y^2 + 8y = 6x$;

auch die Parabel $y^2 - 8y = -6x$ genügt den Bedingungen der Aufgabe.

19. Eine Parabel mit zur x-Achse paralleler Achse hat die Tangente $x - 3y + 10\frac{1}{2} = 0$, die im Punkt $P_1\,(1\frac{1}{2};\ 4)$ berührt. Eine zweite Tangente hat die Gleichung $x + 4y + 7 = 0$. Wie heißt die Parabel, und wo berührt die zweite Tangente?

$$(y - v)^2 = 2p\,(x - u)$$

Schnittpunkt beider Tangenten (Pol) $P_0\,(-9;\ \frac{1}{2})$; er liegt auf dem Durchmesser $y = \frac{1}{2}$.

Da die Mitte der Polaren P_1P_2 die gleiche Ordinate hat, so ist

$\dfrac{y_1 + y_2}{2} = \frac{1}{2}$, also $y_2 = -3$, dazu $x_2 = 5$, mithin $P_2\,(5;\ -3)$

Die Steigung der Tangente $m = \dfrac{p}{y - v}$ liefert die beiden Gleichungen

$$m_1 = \tfrac{1}{3} = \frac{p}{4 - v} \quad \text{und} \quad m_2 = -\tfrac{1}{4} = \frac{p}{-3 - v}$$

daraus $p = \dfrac{4 - v}{3} = \dfrac{3 + v}{4}$, also $v = 1$ und $p = 1$

$$(y - 1)^2 = 2\,(x - u)$$

Setzen wir die Koordinaten von P_1 oder P_2 ein, so wird $u = -3$.

Parabel: $$(y - 1)^2 = 2\,(x + 3)$$

20. Man zeichne die Parabel $y = x^2$ bis zum Punkt $P\,(1; 1)$, dann das zugehörige Quadrat und in diesem die Diagonale $x + y = 1$. Im Schnittpunkt Q von Parabel und Diagonale werden die Tangente QC und die Normale QD gezogen, die auf der Geraden $x = 1$ die Punkte A und B ergeben. Die Achsenparallelen durch Q liefern die beiden „Parabeldreiecke" J_1 und J_2 (Abb. 91).

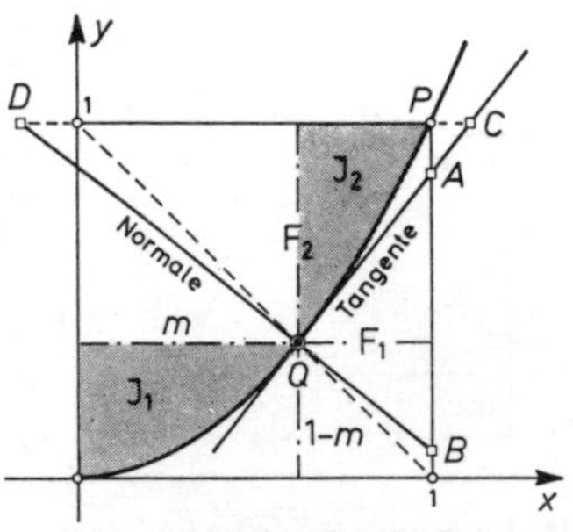

Abb. 91. Stetige Verhältnisse

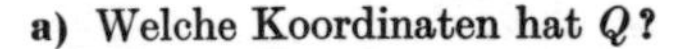

a) Welche Koordinaten hat Q?

b) Man vergleiche die Flächen F_1 und F_2 der Dreiecke QAB und QCD!

c) In welchem Verhältnis stehen die Flächen J_1 und J_2 der beiden Parabeldreiecke?

Ergebnis $\left(\text{es bedeutet } m = \dfrac{\sqrt{5} - 1}{2}\right)$.*

a) $Q\,(m; 1 - m)$: die Koordinaten von Q sind gleich dem maior bzw. minor der Einheitsstrecke, oder: die Einheitsstrecke wird durch Q stetig geteilt.

b) Da sich die Höhen der beiden Dreiecke wie $\dfrac{1 - m}{m} = m$ verhalten, so stehen die Flächen im Verhältnis $m^2 = 1 - m$, also $F_1 : F_2 = 1 - m$, oder: die Fläche F_1 ist der minor der Fläche F_2.

* siehe MR 11, Anhang II.

c) Parabelfläche $= \int x^2 \cdot dx = \frac{1}{3}\, x^3$ *

$$J_1 = m\,(1 - m) - \tfrac{1}{3}x^3 \Big|_0^m = m^3 - \tfrac{1}{3}m^3 = \tfrac{2}{3}m^3$$

$$J_2 = (1 - m) - \tfrac{1}{3}x^3 \Big|_m^1 = m^2 - \frac{1 - m^3}{3} = \tfrac{1}{3}m^2$$

also $J_1 : J_2 = 2m$, oder: die halbe Fläche J_1 ist der maior der Fläche J_2.

§ 48 Ortsaufgaben

21. Ein Punkt P soll sich so bewegen, daß die Summe seiner Abstände von einer gegebenen Geraden g und einem festen Punkt A konstant $(= k)$ ist; A habe von g den Abstand a. Die Gerade sei die y-Achse; ferner sei $A\,(a\,;\,0)$; Abb. 92.

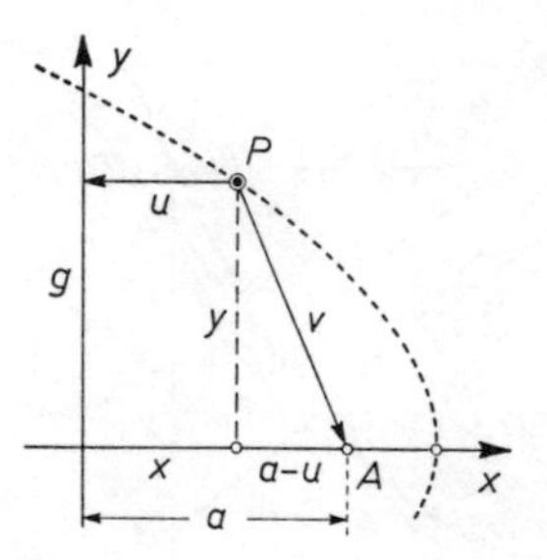

Abb. 92. Konstante Abstandssumme $u + v$

Bedingung: $u + v = k$, mit $u = x$

Aus $y^2 = v^2 - (a - u)^2 = (k - u)^2 - (a - u)^2$

$= k^2 - 2ku - a^2 + 2au$

wird $y^2 = 2\,(a - k)\,x - (a^2 - k^2)$

Die Ortslinie ist eine Parabel mit $p = a - k$; ihr Scheitel S liegt bei $x_S = \dfrac{a + k}{2}$.

Beispiel. $a = 3$, $k = 5$, also $p = -2$, $x_S = 4$.

Für $k < a$ ist die Parabel nach rechts geöffnet. Liegt P im II. Quadranten, so ist u negativ zu nehmen.

22. Wie bewegt sich der Mittelpunkt P eines (veränderlichen) Kreises, der einen gegebenen Kreis und eine gegebene Gerade berührt?

Die Gerade sei die y-Achse; der Kreis habe die Gleichung $(x - a)^2 + y^2 = r^2$ (Abb. 93).

Aus $y^2 = (x + r)^2 - (a - x)^2$ wird

$y^2 = 2\,(r + a)\,x + (r^2 - a^2)$

* siehe MR 35, § 4, I.

Parabel mit $p = r + a$; $x_S = \frac{a - r}{2}$

Beispiel: $a = 3{,}5$, $r = 1{,}5$, also $p = 5$, $x_S = 1$.

23. Für einen Punkt P soll die Differenz der Abstandsquadrate von einer gegebenen Geraden und einem festen Punkt konstant ($= k^2$) sein. Gesucht ist die Ortslinie von P.

Es sei $A\ (a;\ 0)$, die Gerade sei die y-Achse; Abb. 94.

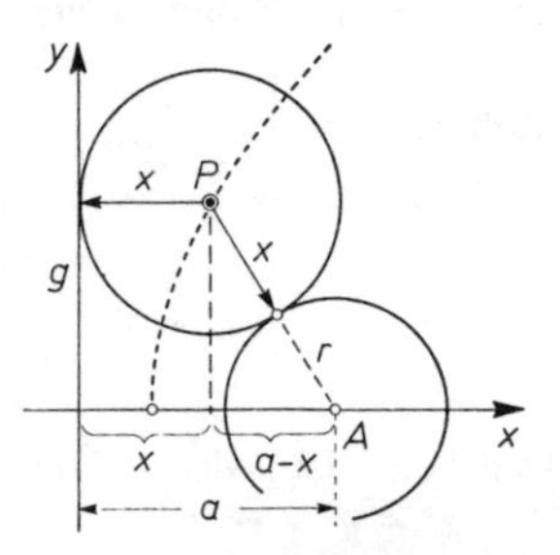

Abb. 93. Kreis mit veränderlichem Mittelpunkt

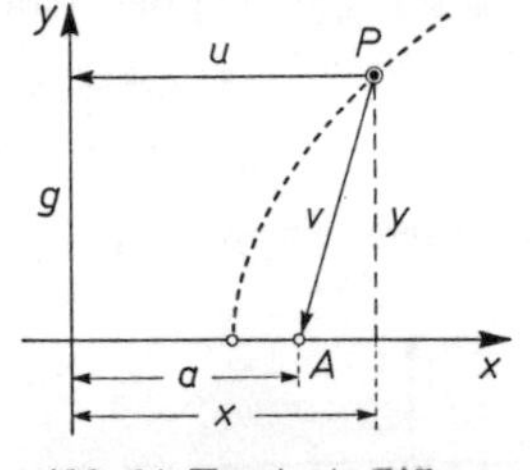

Abb. 94. Konstante Differenz der Abstandsquadrate

Bedingung: $u^2 - v^2 = k^2$

$y^2 = v^2 - (x - a)^2 = u^2 - k^2 - (x - a)^2$, mit $u = x$; daraus

$$y^2 = 2ax - (a^2 + k^2)$$

Parabel mit $p = a$; $x_S = \frac{a^2 + k^2}{2a}$

Beispiel. $a = 3$; $k^2 = 3{,}6$; also $p = 3$, $x_S = 2{,}1$.

24. Welches ist der Ort aller Punkte P, die von einem gegebenen Kreis und einer gegebenen Geraden gleiche Abstände haben? Kreis $x^2 + y^2 = r^2$; Gerade $x = a$ (Abb. 95).

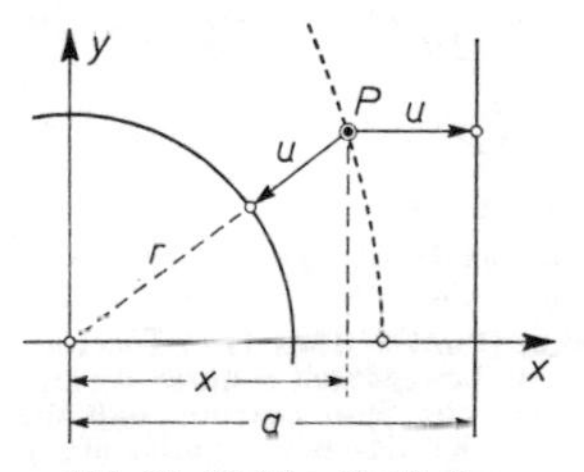

Abb. 95. Gleiche Abstände u

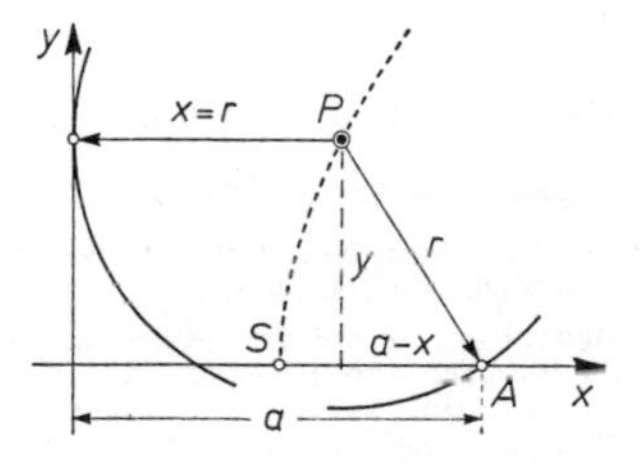

Abb. 96. Veränderlicher Kreis

Aus $y^2 = (r + u)^2 - x^2$ erhält man wegen $u = a - x$:

$$y^2 = -2(r + a)x + (r + a)^2$$

Die Parabel ist nach links geöffnet; $p = -(r + a)$, $x_S = \frac{r + a}{2}$

Beispiel. $r = 2\frac{1}{2}$; $a = 4\frac{1}{2}$, also $p = 7$, $x_S = 3\frac{1}{2}$.

25. Man suche den Ort der Mittelpunkte P aller Kreise, die eine Gerade berühren und außerdem durch einen Punkt A verlaufen.

Es sei $A\,(a; 0)$; die Gerade sei die y-Achse; Abb. 96.

$$y^2 = r^2 - (a - x)^2 = x^2 - (a - x)^2 \quad \text{oder}$$

$$y^2 = 2ax - a^2$$

Parabel mit $p = a$; $x_S = \frac{1}{2}a$.

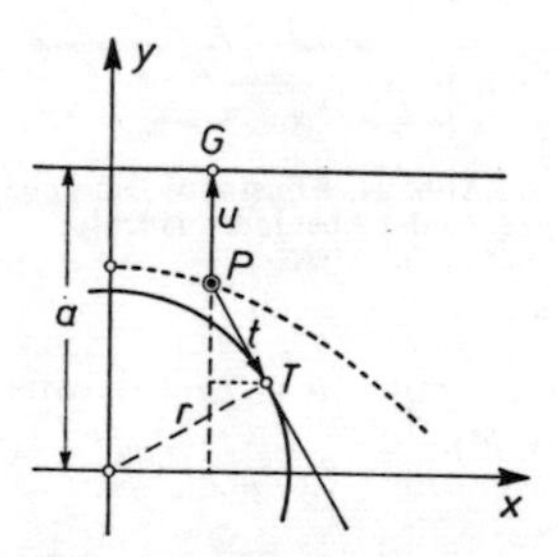

Abb. 97. Gleiche Strecken ($u = t$)

26. Gegeben ist der Kreis $x^2 + y^2 = r^2$ und die Gerade $y = a$. In dem veränderlichen Kreispunkt T $(x_1; y_1)$ wird eine Tangente $TP = t$ gezogen und von P das Lot $PG = u$ auf die Gerade gefällt. Man bestimme die Ortskurve von P, wenn $u = t$ sein soll (Abb. 97).

Es ist $\quad (x_1 - x)^2 + (y - y_1)^2 = t^2 = u^2 = (a - y)^2$

daraus $\quad \underbrace{x_1^2 + y_1^2}_{r^2} - 2\underbrace{(x_1 x + y_1 y)}_{r^2} + x^2 = a^2 - 2ay$

also $\quad x^2 = a^2 + r^2 - 2ay \quad$ oder $\quad y = -\frac{1}{2a}x^2 + \frac{a^2 + r^2}{2a}$

Die Parabel ist nach unten geöffnet.

Beispiel. $a = 5$; $r = 3$; also $p = -5$; $y_S = 3{,}4$.

An dieser Aufgabe soll die relative Bewegung der Kreis- und der Parabelpunkte untersucht werden (Abb. 97a).

Bewegt sich T auf dem Kreis im Uhrzeigersinn (Punkte 0 bis 7) und werden die Tangenten in der Pfeilrichtung angetragen, so bewegt sich P durch die mit den gleichen Nummern bezeichneten Parabelpunkte. Man beachte, daß die Punkte P ins Unendliche wandern, wenn der Winkel des Berührradius gegen 180° strebt (Punkte 5′, 6 und 6′).

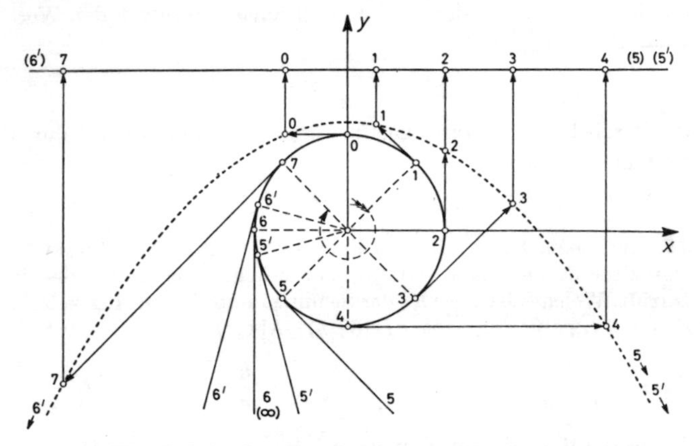

Abb. 97a. Relative Bewegung der Kreis- und der Parabelpunkte

27. Auf der y-Achse liegen die Punkte A $(0; a)$ und B $(0; -a)$. Auf der x-Achse bewegen sich zwei Punkte C $(c; 0)$ und D $(d; 0)$ so, daß stets $c + d = k$ (konstant) ist. Man ziehe AD und BC und bestimme den Ort des Schnittpunktes P (Abb. 98).

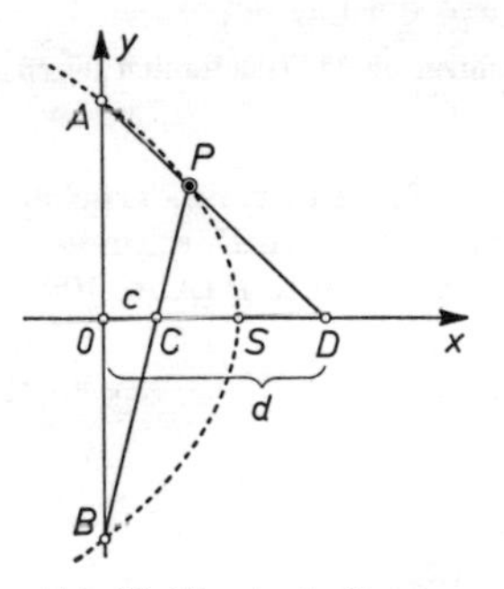

Abb. 98. Konstante Streckensumme $OC + OD$

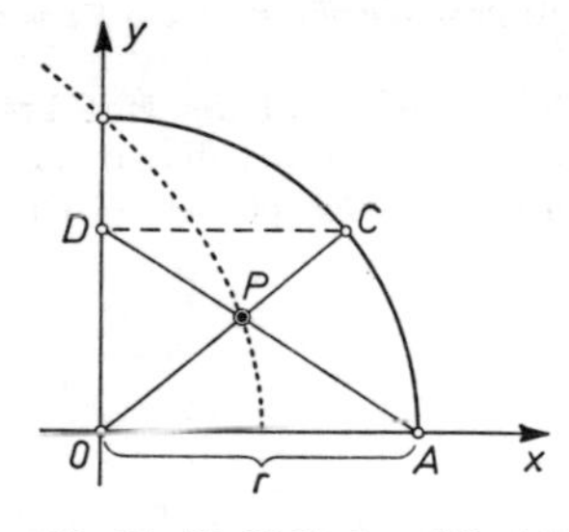

Abb. 99. Die Halbsehne CD wird parallel verschoben

AD: $\quad y = -\frac{a}{d}x + a$ $\qquad$ BC: $\quad y = \frac{a}{c}x - a$

daraus die Koordinaten von P:

$$x = \frac{2cd}{c+d} = \frac{2d\,(k-d)}{k} \quad \text{und} \quad y = \frac{a\,(2d-k)}{k}$$

Wir berechnen d aus der zweiten Gleichung und setzen den Wert in die erste Gleichung ein:

$$y^2 = -\frac{2a^2}{k}x + a^2$$

Die Parabel ist nach links geöffnet ($x_S = \frac{1}{2}k$) und verläuft durch die Punkte A und B.

Beispiel. $a = 4$; $k = 5$; also $p = -3{,}2$; $x_S = 2{,}5$.

28. Auf einem Kreis mit dem Radius r bewegt sich ein Punkt C. Man ziehe durch C eine Parallele zur x-Achse, die die y-Achse in D trifft. Welches ist der Ort der Schnittpunkte P von $AD \times OC$? Es sei $A(r;\,0)$, $C(u;\,h)$, $D(0;\,h)$; Abb. 99.

$$AD:\quad \frac{x}{r} + \frac{y}{h} = 1 \qquad\qquad OC:\quad y = \frac{h}{u}x$$

daraus die Koordinaten von P: $x = \dfrac{ru}{r+u}$, $y = \dfrac{rh}{r+u}$

also $\qquad u = \dfrac{rx}{r-x}$ und $h = \dfrac{ry}{r-x}$

und schließlich wegen der Kreisgleichung $u^2 + h^2 = r^2$:

$$x^2 + y^2 = (x-r)^2 \quad \text{oder} \quad y^2 = -2rx + r^2$$

Parabel mit $p = -r$; $x_S = \frac{1}{2}r$. Für $x = 0$ ist $y = \pm r$.

Beispiel. $r = p = 4$, $x_S = 2$. Für die Halbsehnen im II. Quadranten liegen die Punkte P außerhalb des Kreises.

29. Gegeben ist der Halbkreis $x^2 + y^2 = r^2$. Ein veränderlicher Kreis (Radius ϱ) soll den gegebenen Kreis und seinen Durchmesser berühren. Gesucht ist der Ort der Kreismittelpunkte P (Abb. 100).

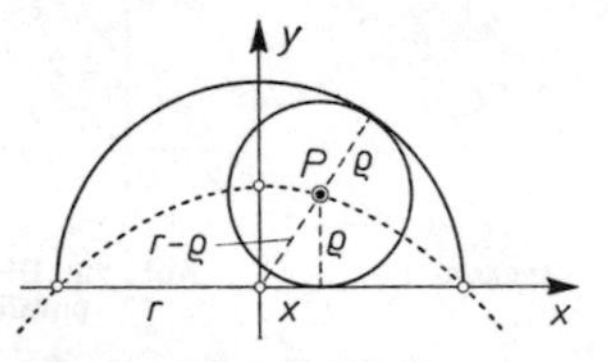

Abb. 100. Der kleine Kreis bewegt sich in dem großen Kreis

$\varrho^2 + x^2 = (r-\varrho)^2$ oder $x^2 = r^2 - 2r\varrho$, und wegen $y = \varrho$:

$$y = -\frac{1}{2r}x^2 + \frac{1}{2}r$$

Die Parabel ist nach unten geöffnet; $p = -r$, $y_S = \frac{1}{2}r$. Für $y = 0$ ist $x = \pm r$; die Parabel geht also durch die Endpunkte des Durchmessers.

30. Welches ist der Ort der Höhenschnittpunkte P aller Dreiecke mit gegebener Grundlinie und gleicher Fläche?

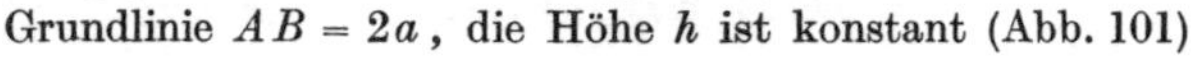

Grundlinie $AB = 2a$, die Höhe h ist konstant (Abb. 101)

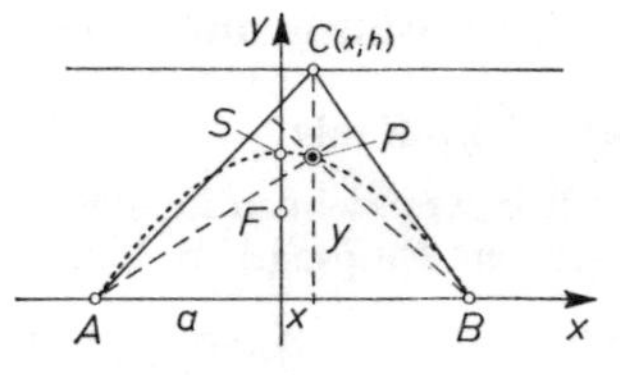

Abb. 101. Die Ecke C bewegt sich parallel zur Grundlinie

Steigung von AC ist $\frac{h}{x+a}$, Steigung von h_b ist $-\frac{x+a}{h}$

Gleichung von h_b: $\quad y = -\frac{x+a}{h}(x-a) = \frac{a^2 - x^2}{h}$, daraus

$$x^2 = -hy + a^2$$

Parabel mit $p = -\frac{1}{2}h$, $y_S = \frac{a^2}{h}$; für $y = 0$ ist $x = \pm a$, die Parabel geht also durch die Endpunkte der Grundlinie. Für $|x_C| > a$ ist $y < 0$.

Beispiel. $a = 4$, $h = 5$, also $p = -2{,}5$, $y_S = 3{,}2$.

DIE ELLIPSE

§ 49 Ellipse und Kreis

1. Entstehung aus dem Kreis

Verkürzt man parallele Kreissehnen im gleichen Verhältnis (etwa 1 : 2), so erhält man eine Ellipse (Abb. 102).

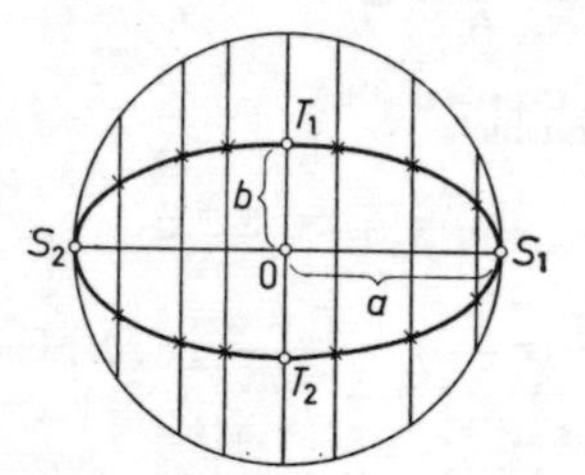

Abb. 102. Entstehung der Ellipse aus dem Kreis

S_1 und S_2 heißen die Hauptscheitel, T_1 und T_2 sind die Nebenscheitel; $S_1S_2 = 2a$ ist die Hauptachse, $T_1T_2 = 2b$ ist die Nebenachse. (Im allgemeinen Sprachgebrauch werden die Halbachsen als „Achsen" bezeichnet, also Hauptachse $= a$, Nebenachse $= b$.)

Werden in dem Kreis $x^2 + y^2 = a^2$ oder $y = \sqrt{a^2 - x^2}$ die zur y-Achse parallelen Sehnen im Verhältnis $b : a$ verkürzt, so sind die Ordinaten der Ellipse

$$y = \frac{b}{a}\sqrt{a^2 - x^2} \tag{49.1}$$

Dieser Ausdruck ist als die „Gleichung der Ellipse" anzusehen.

2. Erste Konstruktion

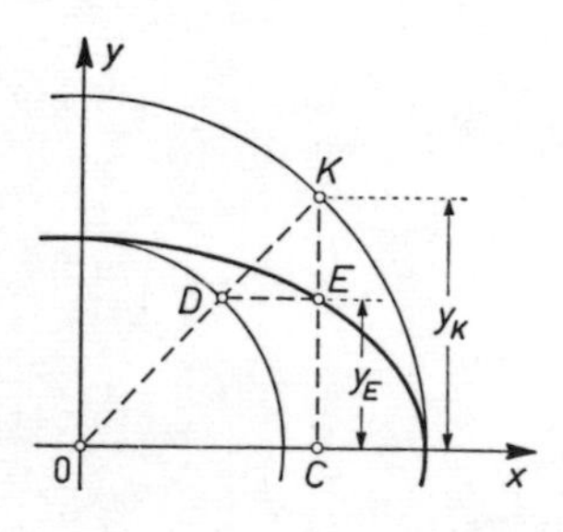

Abb. 103. Ellipsen-Konstruktion durch Verkürzung von Kreissehnen

Die Tatsache, daß sich die Ordinaten von Ellipse und Kreis wie $b : a$ verhalten $\left(\frac{y_E}{y_K} = \frac{b}{a}\right)$, kann zur punktweisen Konstruktion der Ellipse dienen (Abb. 103). Man zeichnet zwei konzentrische

Kreise mit den Radien a und b (etwa $a = 5$; $b = 3$), wählt auf dem „Hauptkreis" einen Punkt K und fällt das Lot KC. Der Radius OK schneidet den „Nebenkreis" in D. Die Parallele durch D zur x-Achse trifft das Lot in E. Auf Grund der vorstehenden Proportion ist E ein Punkt der Ellipse. Läßt man K auf dem Hauptkreis wandern, so kann man beliebig viele Ellipsenpunkte konstruieren.

§ 50 Die Ellipse als Ortslinie

1. Analytische Definition

Die Ellipse ist der Ort aller Punkte, die von zwei festen Punkten (den Brennpunkten F_1 und F_2) eine konstante Abstandssumme ($= 2a$) haben; Abb. 104.

Es sei $F_1F_2 = 2e$; $F_1P = r_1$; $F_2P = r_2$; $r_1 + r_2 = 2a$.

Wir legen die x-Achse durch die Brennpunkte F_1 und F_2 und den Nullpunkt in die Mitte von F_1F_2. Der Pythagoras in den beiden rechtwinkligen Dreiecken liefert:

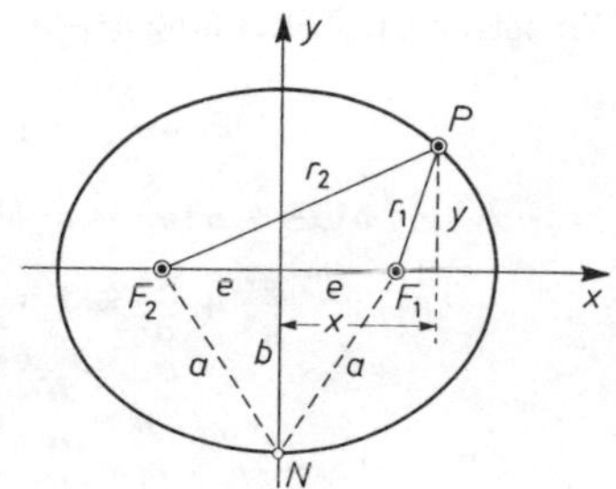

Abb. 104. Die Ellipse als geometrischer Ort

$$r_1^2 = (x - e)^2 + y^2 \qquad \text{(I)}$$
$$r_2^2 = (x + e)^2 + y^2 \qquad \text{(II)}$$

Somit lautet die Gleichung der Ellipse

$$\sqrt{(x - e)^2 + y^2} + \sqrt{(x + e)^2 + y^2} = 2a$$

Durch geeignete Umformung kann man dieser Gleichung eine übersichtlichere Form geben, die keine Wurzeln enthält.

(II) − (I) $\qquad r_2^2 - r_1^2 = 4ex$

oder $\qquad (r_2 + r_1)\,(r_2 - r_1) = 4ex$

und wegen $r_2 + r_1 = 2a$:

$$r_2 - r_1 = \frac{2ex}{a}$$

Mit $\qquad r_2 + r_1 = 2a$

erhalten wir durch Addition bzw. Subtraktion

$$r_2 = a + \frac{ex}{a}, \quad r_1 = a - \frac{ex}{a} \qquad \text{(III)}$$

Dann ist zunächst $\quad r_1 \cdot r_2 = a^2 - \dfrac{e^2 x^2}{a^2}$

(II) + (I) $\quad r_1^2 + r_2^2 = 2x^2 + 2e^2 + 2y^2$

Addieren wir hierzu $2r_1r_2$, so erhalten wir links $(r_1 + r_2)^2$, das ist aber $4a^2$; nach Division durch 2 ergibt sich dann

$$2a^2 = x^2 + e^2 + y^2 + a^2 - \frac{e^2 x^2}{a^2}$$

oder $\quad a^2 - e^2 = \left(1 - \dfrac{e^2}{a^2}\right) x^2 + y^2 = \dfrac{a^2 - e^2}{a^2} x^2 + y^2$

Wir setzen zur Abkürzung $a^2 - e^2 = b^2$ und erhalten

$$b^2 = \frac{b^2}{a^2} x^2 + y^2 \quad \text{oder}$$

$$\mathbf{b^2 x^2 + a^2 y^2 = a^2 b^2} \quad \textit{nennerfreie Form} \qquad (50.1)$$

$$\frac{x^2}{a^2} + \frac{y^2}{b^2} = 1 \quad \textit{Normalform} \qquad (50.2)$$

$$y = \frac{b}{a} \sqrt{a^2 - x^2} \quad \textit{explizite Form} \qquad (50.3)$$

Die explizite Form haben wir bereits in § 49 abgeleitet. Hiernach ist die zunächst willkürlich eingeführte Größe $b = \sqrt{a^2 - e^2}$ die Nebenachse der Ellipse. Dies folgt auch geometrisch aus dem Dreieck OF_1N; für den Nebenscheitel N ist $r_1 = r_2 = a$, also $b^2 = a^2 - e^2$.

2. Diskussion

Da die beiden Veränderlichen nur im Quadrat vorkommen, liegt die Ellipse symmetrisch zu beiden Koordinatenachsen. Geltungsbereich $|x| \leqq a$; für $x = 0$ ist $y = \pm b$ (Nebenscheitel); für $x = \pm a$ ist $y = 0$ (Hauptscheitel).

3. Formänderung der Ellipse bei gegebenem a

Mit abnehmenden e wird b größer; für $e \to 0$ strebt $b \to a$. Das bedeutet: Je kleiner der Brennpunktsabstand ($2e$) bei gegebener Abstandssumme ($2a$) ist, desto kreisähnlicher ist die Ellipse. Beim Kreis fallen die beiden Brennpunkte im Mittelpunkt zusammen.

Man nennt den Abstand e der Brennpunkte vom Nullpunkt die *Brennweite* oder auch die *lineare Exzentrizität*. Als Maß für die Form der Ellipse gibt man (wie bei der Parabel) die Brennpunktsordinate an. Aus

$$\frac{e^2}{a^2} + \frac{y^2}{b^2} = 1 \quad \text{wird} \quad y = \frac{b}{a}\sqrt{a^2 - e^2} = \frac{b^2}{a}$$

$$y_F = \frac{b^2}{a} \tag{50.4}$$

Anmerkung. In der Astronomie verwendet man häufig die *numerische Exzentrizität*, das ist das Verhältnis der linearen Exzentrizität zur Hauptachse: $\varepsilon = \frac{e}{a}$; für die beiden Brennstrahlen kann man dann schreiben $r = a \pm \varepsilon x$.

§ 51 Ellipsen-Konstruktionen

1. Zweite Konstruktion („Gärtner-Konstruktion“)

Wenn der Gärtner ein elliptisches Beet abgrenzen will, so befestigt er an zwei Pflöcken F_1 und F_2 im Abstand $2e$ eine Schnur von der Länge $2a$ und spannt die Schnur mit einem dritten Pflock P. Bei stets gespannter Schnur zeichnet P eine Ellipse auf.

Im Heft kann man eine Ellipse in entsprechender Weise punktweise konstruieren, z.B. für $2a = 10$ cm, $2e = 6$ cm:

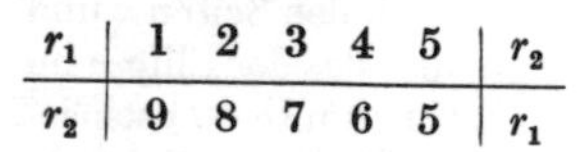

r_1	1	2	3	4	5	r_2
r_2	9	8	7	6	5	r_1

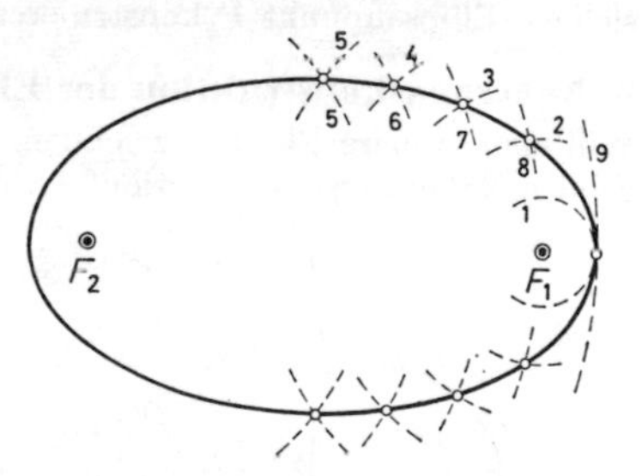

Abb. 105. Gärtner-Konstruktion der Ellipse

Man schlägt um F_1 (bzw. um F_2) Kreise mit den Radien 1 bis 5 und bringt sie mit den um F_2 (bzw. um F_1) geschlagenen Kreisen mit den Radien 9 bis 5 zum Schnitt (Abb. 105).

2. Dritte Konstruktion mit dem Leitkreis (Abb. 106)

Wir verlängern $F_2P = r_2$ um $PF_1 = r_1$ und erhalten den Punkt G; dann ist $F_2G = 2a$. Das Dreieck PF_1G ist gleichschenklig; ist Q

die Mitte von F_1G, so ist PQ das Mittellot des gleichschenkligen Dreiecks, also $\sphericalangle\, F_1QP = 90°$. Wir verbinden Q mit dem Nullpunkt O. Nach dem Strahlensatz ist $OQ = a$; der Punkt Q liegt mithin auf dem Hauptkreis der Ellipse.

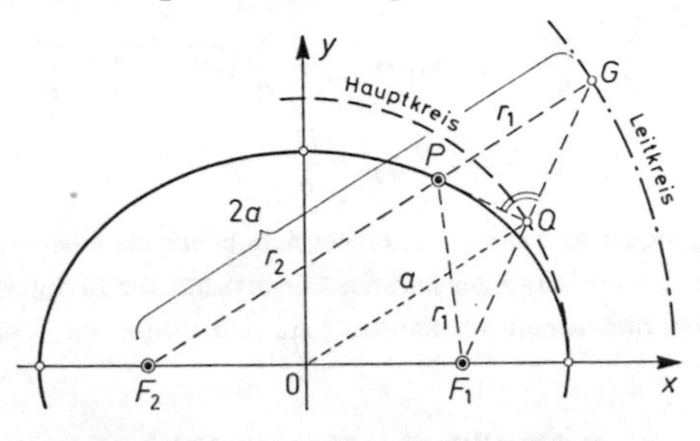

Abb. 106. Konstruktion mit dem Leitkreis

Auf dieser Tatsache beruht die folgende Konstruktion:
Wir zeichnen um den einen Brennpunkt (F_2) einen Kreis mit dem Radius $2a$ (den „Leitkreis“), wählen auf ihm einen Punkt G und verbinden ihn mit den beiden Brennpunkten. Wir errichten auf F_1G in der Mitte Q das Lot und erhalten auf F_2G einen Punkt P der Ellipse. Zu jedem anderen Punkt G auf dem Leitkreis läßt sich ein Ellipsenpunkt P konstruieren.

3. Näherungskonstruktion der Ellipse

Will man saubere Ellipsen zeichnen, so bedient man sich der folgenden Näherungskonstruktion* (Abb. 107):

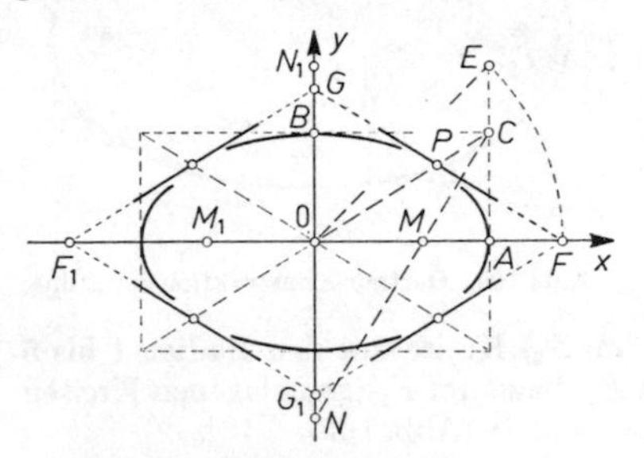

Abb. 107. Näherungskonstruktion der Ellipse

Wir zeichnen ein Rechteck mit den Seiten a und b, also das der Ellipse im I. Quadranten umschriebene Rechteck $OACB$. Von C fällen wir das Lot auf die Diagonale AB, das die Hauptachse in M und die Nebenachse in N trifft. Wir schlagen die Kreise um M mit MA und um N mit NB sowie die symmetrisch liegenden Kreise um M_1 und um N_1. Die vier Kreisbogen stimmen weitgehend mit der Ellipse überein.

* Die Begründung wird in der Differential-Rechnung, MR 33, § 15 gegeben.

Um die Zwischenräume zu überbrücken, verlängern wir AC bis zum Punkt E, so daß $AE = AO$ ist. Der Kreis um O mit AE ergibt F; die Parallele durch F zu AB liefert die Gerade FG, die eine Tangente an die Ellipse ist. Die Diagonale OC schneidet FG in einem Punkt P der Ellipse (dazu die symmetrischen Tangenten und Berührpunkte).

§ 52 Tangente und Normale

1. Gleichung der Tangente

Die Steigung der Ellipsentangente erhalten wir am einfachsten durch implizites Differenzieren der Ellipsengleichung*:

$$b^2x^2 + a^2y^2 = a^2b^2$$

differenziert: $$2b^2x + 2a^2yy' = 0$$

Steigung in P_1: $$y' = -\frac{b^2x_1}{a^2y_1} \tag{52.1}$$

Die Einpunktform liefert die Tangentengleichung:

$$y - y_1 = -\frac{b^2x_1}{a^2y_1}(x - x_1)$$

daraus $$b^2x_1x + a^2y_1y = b^2x_1^2 + a^2y_1^2 = a^2b^2$$

$$\mathbf{b^2x_1x + a^2y_1y = a^2b^2 \quad \text{oder} \quad \frac{x_1x}{a^2} + \frac{y_1y}{b^2} = 1} \tag{52.2}$$

Merkregel wie beim Kreis, § 30.

2. Konstruktion der Tangente

Aus (52.2) erhalten wir für den Schnittpunkt T der Tangente mit der x-Achse

$$x_0 = \frac{a^2}{x_1}$$

Für die Tangente an den Kreis $x^2 + y^2 = a^2$ ergibt sich aus $x_1x + y_1y = a^2$ der gleiche Schnittpunkt auf der x-Achse.
Für die gleiche Abszisse (x_1) haben die Ellipse und ihr Hauptkreis den gleichen Tangentenschnittpunkt (T) auf der x-Achse.

Soll in P_1 der Ellipse die Tangente gezeichnet werden, so verlängere man die Ordinate bis zum Schnitt (K) mit dem Hauptkreis und zeichne die Kreistangente KT senkrecht auf dem Berührradius OK. Dann ist TP_1 die gesuchte Ellipsentangente (Abb. 108).

---

* Vgl. MR 33, § 11.

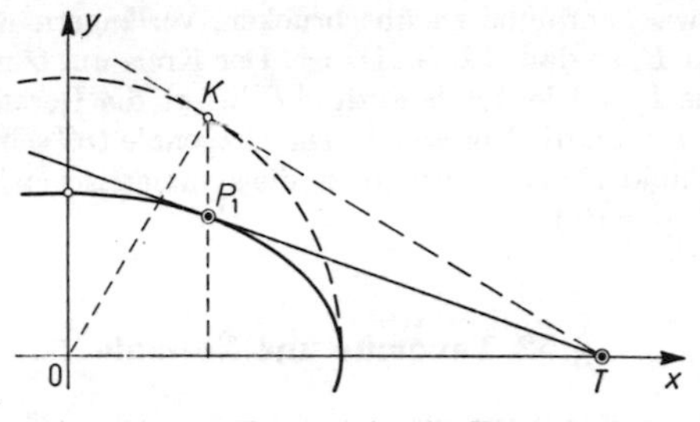

Abb. 108. Konstruktion der Tangente

3. Die Normale

ist das Lot auf der Tangente im Berührpunkt. Sie hat nach (.1) die Steigung $\frac{a^2 y_1}{b^2 x_1}$. Mit der Einpunktform ergibt sich

$$y - y_1 = \frac{a^2 y_1}{b^2 x_1}(x - x_1), \quad \text{daraus}$$

$$a^2 y_1 x - b^2 x_1 y = e^2 x_1 y_1 \tag{52.3}$$

§ 53 Sätze über die Ellipse

1. Brennpunktseigenschaft der Ellipse

Ein aus dem einen Brennpunkt (F_1) kommender Lichtstrahl, der auf die Ellipse unter dem Winkel β einfällt, wird unter dem gleichen Winkel γ in den anderen Brennpunkt (F_2) reflektiert.

Wir fällen von den Brennpunkten F_1 und F_2 die Lote d_1 und d_2 auf die im Punkt P_1 (x_1; y_1) gelegte Tangente und berechnen ihre Längen (Abb. 109).

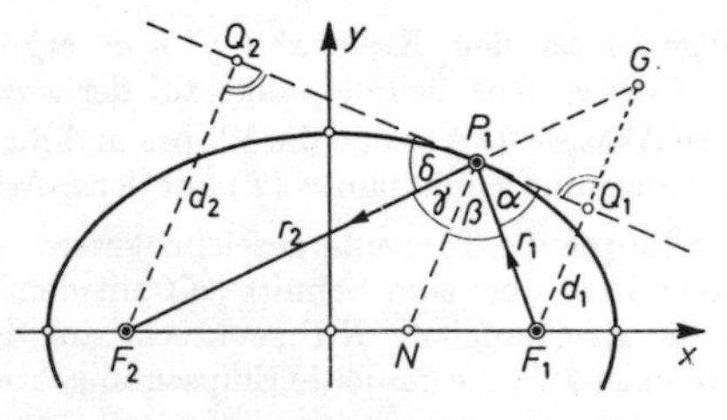

Abb. 109. Brennpunktseigenschaft der Ellipse

Die HESSEsche Normalform der Tangente lautet

$$\frac{b^2 x_1 x + a^2 y_1 y - a^2 b^2}{\sqrt{b^4 x_1^2 + a^4 y_1^2}} = 0$$

Im folgenden sei die Wurzel mit W abgekürzt.

Setzen wir die Brennpunktskoordinaten ($x = \pm e$; $y = 0$) ein, so erhalten wir die Längen der Lote:

$$d_{1,2} = \frac{\pm b^2 x_1 e - a^2 b^2}{W} = (-) \frac{b^2}{W} (a^2 \mp e x_1) = \frac{ab^2}{W} \left(a \mp \frac{e}{a} x_1 \right) \quad \text{(I)}$$

und mit § 50 (I):

$$d_1 = \frac{ab^2}{W} r_1, \quad d_2 = \frac{ab^2}{W} r_2$$

Hiernach verhalten sich die Abstände der Tangente von den Brennpunkten wie die Brennstrahlen:

$$\frac{d_1}{r_1} = \frac{d_2}{r_2} = \frac{ab^2}{W}$$

Nun ist aber $\frac{d_1}{r_1} = \sin \alpha$ und $\frac{d_2}{r_2} = \sin \delta$, mithin $\alpha = \delta$.

Ziehen wir in P_1 die Normale $P_1 N$, so sind auch die Winkel β und γ gleich, was zu beweisen war.

2. Satz

Das Produkt der von den Brennpunkten auf eine Tangente gefällten Lote (d_1 und d_1) hat den konstanten Wert $d_1 \cdot d_2 = b^2$.

Aus (I) ist $\qquad d_1 \cdot d_2 = \frac{b^4 (a^4 - e^2 x^2)}{W^2}$

Wir ersetzen in W das y mit der Ellipsengleichung:

$$W^2 = b^4 x^2 + a^4 \cdot \frac{b^2}{a^2} (a^2 - x^2) = b^2 (b^2 x^2 + a^4 - a^2 x^2)$$

$W^2 = b^2 (a^4 - e^2 x^2)$, woraus $d_1 \cdot d_2 = b^2$ folgt.

3. Satz

Die Fußpunkte (Q_1 und Q_2) der von den Brennpunkten auf die Tangenten gefällten Lote liegen auf dem Hauptkreis.

Dieser Satz folgt aus Abb. 106, wonach $F_1 Q \perp PQ$ und $OQ = a$ ist, und aus Abb. 109, wonach $P_1 Q_1$ Ellipsentangente ist.

4. Die Hüllkonstruktion der Ellipse (Abb. 110)

beruht auf dem zuletzt genannten Satz.

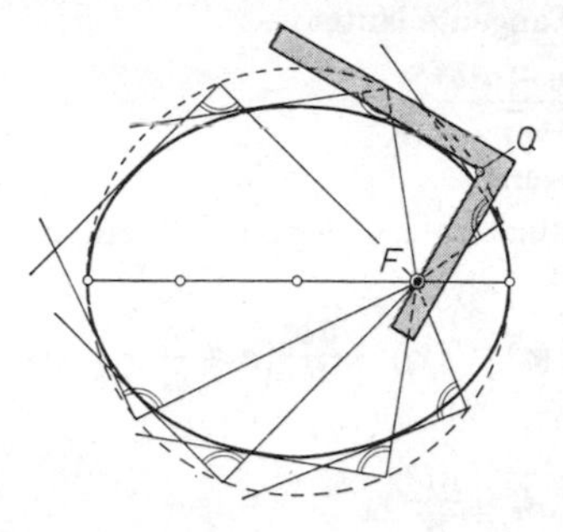

Lassen wir den Scheitel Q eines rechten Winkels auf dem Umfang des Hauptkreises gleiten, so daß der eine Schenkel stets durch den einen Brennpunkt geht, so beschreibt der andere Schenkel eine Serie von Tangenten, die in ihrer Gesamtheit eine Ellipse einhüllen.

Abb. 110. Hüllkonstruktion der Ellipse

§ 54 Pol und Polare

1. Gleichung der Polaren

Werden vom Pol P_0 außerhalb der Ellipse die Tangenten gezogen, so hat – entsprechend wie beim Kreis – die Polare P_1P_2 (= Berührsehne) die Gleichung

$$b^2x_0x + a^2y_0y = a^2b^2 \quad \text{oder} \quad \frac{x_0x}{a^2} + \frac{y_0y}{b^2} = 1 \qquad (54.1)$$

Schneidet man eine beliebige durch den Pol P_0 gelegte Gerade mit der Ellipse in den Punkten A und B, so liegt der 4. harmonische Punkt Q auf der Polaren; vergleiche beim Kreis, § 32, sowie die Aufgabe 51 in § 57.

2. Konstruktion der Tangenten

von einem außerhalb der Ellipse liegenden Punkt P_0 (Abb. 111).

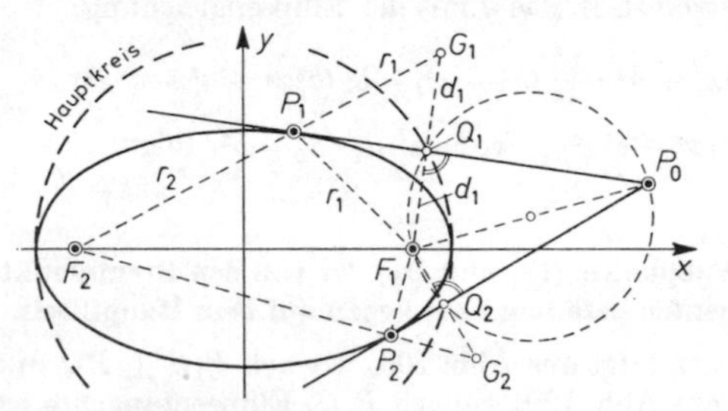

Abb. 111. Tangenten an die Ellipse

Da der Fußpunkt (Q) des vom Brennpunkt auf die Tangente gefällten Lotes auf dem Hauptkreis liegt, findet man den Punkt Q

der Tangente, indem man den Hauptkreis mit dem THALESkreis über P_0F_1 zum Schnitt bringt. Dann sind P_0Q_1 und P_0Q_2 die gesuchten Tangenten.
Um die Berührpunkte P_1 und P_2 zu erhalten, verlängert man F_1Q_1 um sich selbst (G_1) und verbindet G_1 mit F_2; dann schneidet G_1F_2 die Tangente P_0Q_1 im Berührpunkt P_1. In gleicher Weise erhält man P_2.

§ 55 Durchmesser

1. Der Durchmesser als Ortslinie

Wir zeichnen eine Anzahl paralleler Sehnen und suchen den Ort der Sehnenmitten*. Zu diesem Zweck bringen wir die Sekante $y = mx + k$ mit der Ellipse zum Schnitt (Abb. 112).

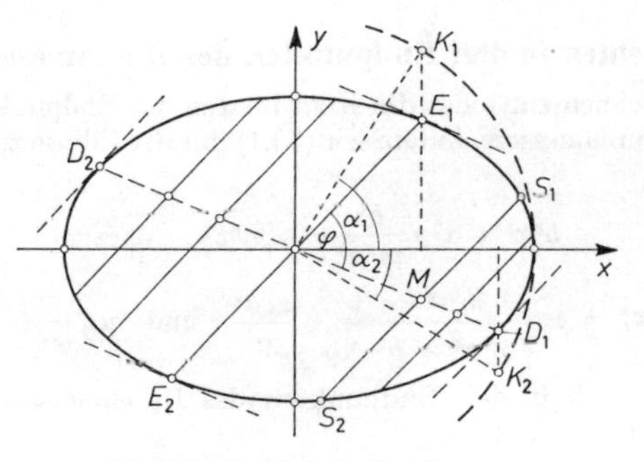

Abb. 112. Konjugierte Durchmesser

$$b^2x^2 + a^2(m^2x^2 + 2mkx + k^2) = a^2b^2$$

oder $$(m^2a^2 + b^2)x^2 + 2ma^2kx + a^2(k^2 - b^2) = 0$$

Nach VIETA ist $$x_1 + x_2 = -\frac{2ma^2k}{m^2a^2 + b^2}$$

daher die Abszisse der Sehnenmitte

$$x_M = -\frac{ma^2k}{m^2a^2 + b^2}$$

ferner ist $$y_M = \frac{y_1 + y_2}{2} = \tfrac{1}{2}[mx_1 + k + mx_2 + k] = mx_M + k$$

$$y_M = \frac{b^2k}{m^2a^2 + b^2}$$

* Vgl. bei der Parabel, § 45.

Bei der Division $\frac{y_M}{x_M}$ fällt k weg:

$$\frac{y_M}{x_M} = -\frac{b^2}{m a^2} \quad \text{oder}$$

$$y = -\frac{b^2}{m a^2} x \tag{55.1}$$

das ist aber die Gleichung einer Nullpunktsgeraden, also eines Durchmessers.

Die Mitten aller Sehnen mit der Steigung m liegen auf dem Durchmesser mit der Steigung

$$n = -\frac{b^2}{m a^2} \tag{55.2}$$

2. Tangenten in den Endpunkten des Durchmessers

Wir berechnen zunächst die Koordinaten der Endpunkte D_1 und D_2 des Durchmessers, indem wir (55.1) mit der Ellipse zum Schnitt bringen:

$$b^2 x^2 + a^2 \cdot \frac{b^4}{m^2 a^4} x^2 = a^2 b^2, \quad \text{daraus}$$

$$x_D = \pm \frac{m a^2}{\sqrt{m^2 a^2 + b^2}} = \pm \frac{m a^2}{w} \quad \text{und} \quad y_D = \mp \frac{b^2}{w} \tag{55.3}$$

Nun legen wir in den Endpunkten des Durchmessers $D_1 D_2$ die Tangenten:

$$\pm b^2 \cdot \frac{m a^2}{w} x \mp a^2 \cdot \frac{b^2}{w} y = a^2 b^2 \quad \text{oder} \quad mx - y = \pm w, \quad \text{also}$$

$$y = mx \mp w$$

Die Tangenten in D_1 und D_2 haben die Steigung m, sie sind also den Sehnen parallel.

Zu dem gleichen Ergebnis kommen wir, wenn wir die Sehnen so lange parallel verschieben, bis ihre Endpunkte S_1 und S_2 zusammenfallen; dann gehen die Sehnen in die Tangenten über.

3. Konjugierte Durchmesser

Zeichnen wir zum Durchmesser $D_1 D_2$ mit der Steigung $n = -\frac{b^2}{m a^2}$ die parallelen Sehnen, so liegen ihre Mitten nach (.1) auch auf einem Durchmesser $(E_1 E_2)$, der die Steigung $-\frac{b^2}{n a^2}$ hat; und dieser

Wert ist nach (.2) gleich m. Der Durchmesser E_1E_2 läuft also den ursprünglich gezeichneten Sehnen parallel.
Zwei Durchmesser, die die zu ihnen parallelen Sehnen gegenseitig halbieren, nennt man *konjugierte* Durchmesser.

Das Produkt der Steigungen zweier konjugierter Durchmesser hat den konstanten Wert

$$m \cdot n = -\frac{b^2}{a^2} \tag{55.4}$$

4. Konstruktion konjugierter Durchmesser

Für den Kreis ($a = b$) ist das Produkt zweier konjugierter Durchmesser $m \cdot n = -1$. Die beiden Kreisdurchmesser stehen aufeinander senkrecht. Hierauf beruht die Konstruktion konjugierter Ellipsen-Durchmesser (Abb. 112).
Man konstruiert zum Ellipsendurchmesser OE_1 den Kreisdurchmesser OK_1 (nach Abb. 108), zeichnet den darauf senkrecht stehenden Kreisdurchmesser OK_2 und konstruiert zu ihm den konjugierten Ellipsendurchmesser OD_1.

5. Sätze über konjugierte Durchmesser

5.1 Die Summe der Quadrate zweier konjugierter Durchmesser hat einen konstanten Wert:

$$d_1^2 + d_2^2 = a^2 + b^2$$

Es ist $\quad d_1^2 = x_D^2 + y_D^2 = \dfrac{m^2a^4 + b^4}{m^2a^2 + b^2}$, nach (.3)

ebenso $\quad d_2^2 = x_E^2 + y_E^2 = \dfrac{n^2a^4 + b^4}{n^2a^2 + b^2}$, mit $n^2 = \dfrac{b^4}{m^2a^4}$,

daraus $\quad d_2^2 = \dfrac{(1 + m^2)\,a^2b^2}{m^2a^2 + b^2}$,

also $\quad d_1^2 + d_2^2 = \dfrac{(a^2 + b^2)\,(m^2a^2 + b^2)}{m^2a^2 + b^2} = a^2 + b^2$

5.2 Die Summe der Quadrate der Abszissen bzw. der Ordinaten der Endpunkte zweier konjugierter Durchmesser hat den konstanten Wert a^2 bzw. b^2:

$$x_1^2 + x_2^2 = a^2 \quad \text{und} \quad y_1^2 + y_2^2 = b^2$$

Die Steigungen der konjugierten Durchmesser sind

$$m_1 = \frac{y_1}{x_1}, \quad m_2 = \frac{y_2}{x_2}, \quad \text{mit} \quad m_1 \cdot m_2 = -\frac{b^2}{a^2}, \qquad \text{nach (.4)}$$

also ist $\frac{y_1 y_2}{x_1 x_2} = -\frac{b^2}{a^2}$ oder $a^2 y_1 y_2 = -b^2 x_1 x_2$

Wir ersetzen y mit der Ellipsengleichung:

$$b^2 \sqrt{(a^2 - x_1^2)(a^2 - x_2^2)} = -b^2 x_1 x_2$$

und erhalten durch Quadrieren

$$a^4 - a^2 (x_1^2 + x_2^2) = 0\,, \quad \text{daraus} \quad x_1^2 + x_2^2 = a^2$$

Entsprechend findet man die zweite Beziehung, wenn man oben x_1 und x_2 eliminiert.

Aus den beiden Beziehungen ergibt sich wiederum der Satz (5.1).
Einfacher folgt der Satz (5.2) aus Abb. 112:

$$x_1 = a\cos\alpha_1\,, \quad x_2 = a\cos\alpha_2 = a\sin\alpha_1\,, \quad \text{also} \quad x_1^2 + x_2^2 = a^2$$

$$y_1 = \frac{b}{a}x_1 = b\cos\alpha_1\,, \quad y_2 = b\sin\alpha_1\,, \quad \text{also} \quad y_1^2 + y_2^2 = b^2$$

5.3 Jedes einer Ellipse umbeschriebene Parallelogramm hat die konstante Fläche

$$\mathbf{F = 4\,a\,b}$$

Die den Parallelogrammseiten parallelen Durchmesser sind konjugiert $\left(\text{Steigungen } m \text{ und } m_1 = -\frac{b^2}{m a^2}\right)$.

Wir bringen den Durchmesser $y = mx$ mit der Ellipse zum Schnitt (P_1) und erhalten

$$x_1 = \frac{ab}{\sqrt{m^2 a^2 + b^2}} = \frac{ab}{w}\,, \quad y_1 = \frac{mab}{w}$$

Der konjugierte Durchmesser $y = -\frac{b^2}{m a^2}x$ schneidet die Ellipse in P_2:

$$x_2 = \frac{m a^2}{w}\,, \qquad y_2 = -\frac{b^2}{w}$$

Die Fläche des Dreiecks OP_1P_2 ist nach (23.1):

$$\tfrac{1}{2}(x_2 y_1 - x_1 y_2) = \tfrac{1}{2}\,\frac{ab\,(m^2 a^2 + b^2)}{w^2} = \tfrac{1}{2}ab$$

Das Parallelogramm hat die achtfache Fläche, also $F = 4ab$.

§ 56 Die Ellipse in allgemeiner Lage

Für die achsenparallele Ellipse mit dem Mittelpunkt $M\,(u\,;\,v)$ erhält man – entsprechend wie beim Kreis – die folgenden Gleichungen:

Ellipse: $$\frac{(x-u)^2}{a^2} + \frac{(y-v)^2}{b^2} = 1 \qquad (56.1)$$

Tangente: $$\frac{(x_1 - u)(x - u)}{a^2} + \frac{(y_1 - v)(y - v)}{b^2} = 1 \qquad (56.2)$$

Polare: $$\frac{(x_0 - u)(x - u)}{a^2} + \frac{(y_0 - v)(y - v)}{b^2} = 1 \qquad (56.3)$$

In Berechnungen empfiehlt sich die Anwendung der nennerfreien Gleichungen:

Ellipse: $$b^2 (x - u)^2 + a^2 (y - v)^2 = a^2 b^2 \qquad (56.1\text{a})$$

Tangente: $$b^2 (x_1 - u)(x - u) + a^2 (y_1 - v)(y - v) = a^2 b^2 \qquad (56.2\text{a})$$

Polare: $$b^2 (x_0 - u)(x - u) + a^2 (y_0 - v)(y - v) = a^2 b^2 \qquad (56.3\text{a})$$

§ 57 Aufgaben

31. In welchen Punkten berühren die vom Punkt $P_0(-1; 4{,}2)$ an die Ellipse $9x^2 + 25y^2 = 225$ gelegten Tangenten?

Zur Probe stelle die Gleichung der Polaren mit der Zweipunkteform auf!

Polare: $-9x + 25 \cdot 4{,}2y = 225$ oder $-3x + 35y = 75$

Berührpunkte $P_1(3; 2{,}4)$, $P_2(-4; 1{,}8)$

32. In den Brennpunkten einer Ellipse sind die Ordinaten gezeichnet ($x = \pm e$; $y = \pm h$). Man berechne die Achsen, wenn $e = 11{,}7$ und $h = 8{,}8$ gegeben sind.

Aus $a^2 - b^2 = e^2$ und $h = \dfrac{b^2}{a}$ erhält man

$a = \frac{1}{2}(h + \sqrt{h^2 + 4e^2}) = 16{,}9$; $b = \sqrt{ah} = 12{,}2$

33. Wo liegen der Mittelpunkt und die Brennpunkte der Ellipse

$$9x^2 + 25y^2 - 54x - 100y - 44 = 0\,?$$

Wo schneidet sie die Koordinatenachsen?

Ergebnis: $9(x - 3)^2 + 25(y - 2)^2 = 225$

$M(3; 2)$, $a = 5$, $b = 3$, $e = 4$, $F_1(7; 2)$, $F_2(-1; 2)$

Achsenschnittpunkte $x_0 = 6{,}73$ und $-0{,}73$; $y_0 = 4{,}4$ und $-0{,}4$

34. Für welchen Punkt der Ellipse $5x^2 + 9y^2 = 180$ bilden die Brennstrahlen einen Winkel von 45°?

Es ist $$m_1 = \frac{y}{x + e}, \quad m_2 = \frac{y}{x - e},$$

daraus mit $$\tan 45° = \frac{m_2 - m_1}{1 + m_2 m_1} = 1:$$

$$2ey = x^2 + y^2 - e^2$$

Wir substituieren x^2 mit der Ellipsengleichung:

$$e^2y^2 + 2b^2ey - b^4 = 0$$

hier:
$$y^2 + 10y - 25 = 0$$

$y = 5\left(\sqrt{2} - 1\right) = 2{,}07$, dazu $x = 5{,}32$; $P\,(5{,}32;\ 2{,}07)$.

Probe: $m_1 = 0{,}222$; $m_2 = 1{,}568$, daraus $\alpha_1 = 12\frac{1}{2}°$, $\alpha_2 = 57\frac{1}{2}°$

35. Bestätige das Reflexionsgesetz an dem folgenden Beispiel: Welche Winkel schließen die zum Punkt $x = 3$ der Ellipse $\frac{x^2}{25} + \frac{y^2}{9} = 1$ gezogenen Brennstrahlen mit der Normalen ein?

$P\,(3;\ 2{,}4)$; Tangente $9x + 20y = 75$; $m_T = -\frac{9}{20}$, $m_N = \frac{20}{9}$
Steigungen der Brennstrahlen $m_1 = \frac{2{,}4}{7}$, $m_2 = -2{,}4$; für die beiden Winkel zwischen Brennstrahl und Normale erhält man $\tan\varphi = \frac{16}{15}$, daraus $\varphi = 46°\,51'$.

Zur *Probe* berechne man den Winkel zwischen beiden Brennstrahlen!
$\tan 2\varphi = -\frac{480}{31}$, daraus $2\varphi = 93°\,42'$.

36. Für welchen Punkt der Ellipse stehen die Brennstrahlen aufeinander senkrecht? Wie lang sind sie für $a = 5$ und $b = 3$?

$$\tan\alpha_1 = \frac{y}{x-e},\quad \tan\alpha_2 = \frac{y}{x+e},\quad \text{also}\quad \frac{y^2}{x^2-e^2} = -1$$

Mit $x^2 = a^2 - \frac{a^2}{b^2}y^2$ erhalten wir $y = \frac{b^2}{e}$; $x = \frac{a}{e}\sqrt{e^2 - b^2}$

Die Aufgabe hat nur für $e > b$, also für $a > b\sqrt{2}$ eine Lösung. Im Grenzfall $a = b\sqrt{2}$ ist $e = b$; dann genügt der Nebenscheitel der Bedingung.

Für das Zahlenbeispiel ist $P\,(3{,}31;\ 2{,}25)$.

37. Die mittlere Entfernung der Erde von der Sonne beträgt $a = 150 \cdot 10^6$ km; die numerische Exzentrizität der elliptischen Erdbahn ist $\varepsilon = \frac{1}{60}$. Welche Länge hat die Nebenachse b?
$b^2 = a^2 - e^2 = a^2(1 - \varepsilon^2)$; $b \approx a\,(1 - \frac{1}{2}\varepsilon^2)^* = a\,(1 - \frac{1}{7200})$

$$b = 149{,}98 \cdot 10^6 \text{ km}$$

Im Maßstab $1 : 2 \cdot 10^{10}$ verkleinert entspricht der Achse $a = 7{,}50$ m die nur um 1 mm kleinere Achse $b = 7{,}499$ m!

38. In welchen Punkten schneiden sich die Ellipse mit $a = 5$, $b = 3$ und der Kreis mit $r = 4$, wenn die Mittelpunkte beider Kurven im Nullpunkt liegen? Wie groß ist das Rechteck aus den

* *Näherungsformel:* $\sqrt{1 - \varepsilon^2} \approx 1 - \frac{1}{2}\varepsilon^2$ für ein gegenüber 1 sehr kleines ε.

vier Schnittpunkten und wieviel Prozent der Kreis- bzw. Ellipsenfläche beträgt es?

Ergebnis: $x = \pm \frac{5}{4}\sqrt{7}$; $y = \pm 2\frac{1}{4}$; $F = \frac{45}{4}\sqrt{7} = 29{,}77$
$F_E = \pi ab^* = 47{,}12\ (63{,}2\%)$; $F_K = 50{,}27\ (59{,}2\%)$

39. Gegeben ist die Ellipse $\frac{x^2}{25} + \frac{y^2}{9} = 1$. Eine Parabel, die ihren Scheitel im Punkt $S(0; -3)$ hat, geht durch die beiden Brennpunkte der Ellipse. Wie heißt die Gleichung der Parabel? Wo und unter welchem Winkel schneidet sie die Ellipse?

Parabel: $y = \alpha x^2 - 3$; für $F(\pm 4; 0)$ ist
$0 = 16\alpha - 3$, daraus $\alpha = \frac{3}{16}$

also Parabel: $y = \frac{3}{16}x^2 - 3$ oder $x^2 = \frac{16}{3}(y + 3)$

Durch Kombinieren mit der Ellipsengleichung erhält man

$$25y^2 + 48y - 81 = 0 \text{ mit } y = \begin{cases} -3 \\ 1{,}08 \end{cases}, \quad \text{dazu} \quad x = \begin{cases} 0 \\ \pm 4{,}66 \end{cases}$$

Schnittpunkte $(0; -3)$ und $(\pm 4{,}66; 1{,}08)$
$m_E = \mp 1{,}55$; $m_P = \pm 1{,}75$, Schnittwinkel $= 62° 35'$

40. Eine Parabel $y^2 = 2px$ ist mit einer Ellipse konfokal**. Ihre Achsen sind $a = 5$ und $b = 4$. Wo und unter welchem Winkel schneiden sich beide Kurven? Welche Fläche hat der aus den Schnittpunkten und den Brennpunkten gebildete Drachen?

Wegen $e = \frac{p}{2} = 3$ heißt die Parabel $y^2 = 12x$.

Schnittpunkte $\left(\frac{5}{4}; \pm\sqrt{15}\right)$, $m_E = \mp \frac{0{,}8}{\sqrt{15}}$, $m_P = \pm 0{,}4\sqrt{15}$

Schnittwinkel $= 68° 50'$, $F = 2ey = 6\sqrt{15} = 23{,}24$

41. Der eine Brennpunkt einer Ellipse ($a = b\sqrt{5}$) ist zugleich der Brennpunkt der Parabel $y^2 = 2px$. Man bestimme den Schnittwinkel beider Kurven! (Der Nenner ist rational zu machen.)
Es ist $e^2 = a^2 - b^2 = 4b^2$, also $e = 2b$, mithin $p = 4b$

Ellipse: $x^2 + 5y^2 = 5b^2$ $\quad m_E = -\frac{x}{5y}$

Parabel: $y^2 = 8bx$ $\quad m_P = \frac{4b}{y}$

Zur Vereinfachung werde $b = 1$ gesetzt.

Schnittpunkt aus $x^2 - 40x - 5 = 0$, daraus $x = 9\sqrt{5} - 20$

---

* Die Fläche der Ellipse ist $\frac{b}{a} \cdot F_K = \frac{b}{a} \cdot \pi a^2 = \pi ab$.

** Konfokale Kurven haben zusammenfallende Brennpunkte.

$$\tan\varphi = \frac{(20+x)\,y}{5y^2-4x} = \frac{(20+x)\,y}{36x} = \frac{\sqrt{2}}{18}\cdot\frac{20+x}{\sqrt{x}}$$

$$= \frac{\sqrt{2}}{18}\cdot\frac{9\sqrt{5}}{\sqrt{9\sqrt{5}-20}} = \frac{\sqrt{10}}{2}\cdot\frac{1}{\sqrt{9\sqrt{5}-20}}$$

$$\tan^2\varphi = \frac{5}{2}\cdot\frac{9\sqrt{5}+20}{5} = \frac{9\sqrt{5}+20}{2} = 20{,}062$$

$$\tan\varphi = 4{,}48\,;\ \varphi = 77^\circ\,25'$$

42. Für welches Achsenverhältnis schneidet die Ellipse $b^2x^2 + a^2y^2 = a^2b^2$ *jede* Parabel $y^2 = 2px$ rechtwinklig? Welche Sperrung hat die Parabel, und welches sind die Koordinaten der Schnittpunkte, wenn die Steigung der Parabel $m_P = m$ vorgegeben ist?

Zahlenbeispiel: $a = 6$; berechne $p,\ x_1,\ y_1$ für $m = \frac{1}{2}$, 1 und 2.

Schnittpunkte aus $\quad b^2x^2 + 2a^2px - a^2b^2 = 0 \qquad$ (I)

Bedingung $\quad m_E \cdot m_P = -1, \quad$ mit $\quad m_E = -\dfrac{b^2x_1}{a^2y_1}, \quad m_P = \dfrac{p}{y_1},$

daraus $\quad b^2px_1 = a^2y_1^2 = a^2\cdot 2px_1$

mithin $\quad b^2 = 2a^2$ oder $b : a = \sqrt{2}$

Für $b^2 = 2a^2$ geht (I) über in $x^2 + px - a^2 = 0$

Man findet $x_1 = \frac{1}{2}\left(\sqrt{p^2+4a^2} - p\right) = \frac{1}{2}(w-p)$, $y_1 = \sqrt{p\,(w-p)}$

Aus $m = \sqrt{\dfrac{p}{w-p}}$ wird $p = \dfrac{2m^2a}{\sqrt{1+2m^2}}$; $x_1 = \dfrac{p}{2m^2}$; $y_1 = \dfrac{p}{m}$

m	p	x_1	y_1
$\frac{1}{2}$	$\sqrt{6}$	$2\sqrt{6}$	$2\sqrt{6}$
1	$4\sqrt{3}$	$2\sqrt{3}$	$4\sqrt{3}$
2	16	2	8

43. Wo muß der Scheitel $S\,(\xi;\,0)$ der Parabel $y^2 = 2p\,(x-\xi)$ liegen, wenn sie die Ellipse $b^2x^2 + a^2y^2 = a^2b^2$ rechtwinklig schneiden soll? Wie heißen die Schnittpunkte für $p = 6$, $a = 4$, $b = 2$?

Aus m_P und m_E wird $b^2px_1 = a^2y_1^2 = b^2\,(a^2 - x_1^2)$ oder $x^2 + px - a^2 = 0$ mit $x_1 = \frac{1}{2}\left(\sqrt{p^2+4a^2} - p\right) = \frac{1}{2}(w-p)$

Aus $\quad b^2x^2 + 2a^2p\,(x - \xi) - a^2b^2 = 0$ erhalten wir

$$\xi = \frac{2a^2 - b^2}{4a^2}(w - p) = 1{,}75\,; \quad x_1 = 2\,; \quad y_1 = \pm\sqrt{3}$$

44. Die Ellipse $\dfrac{(x-3)^2}{25} + \dfrac{(y-2)^2}{16} = 1$ wird von einer Parabel $y = \alpha x^2 + c$ in ihrem linken Nebenscheitel P_1 und im oberen Hauptscheitel P_2 geschnitten. Wie lautet die Gleichung der Parabel? In welchem Punkt P_0 und unter welchem Winkel schneiden sich die in P_1 und P_2 gezogenen Parabeltangenten?

$$\left.\begin{array}{lll} P_1(-2\,;\,2) & \rightarrow & 2 = 4\alpha + c \\ P_2(3\,;\,6) & \rightarrow & 6 = 9\alpha + c \end{array}\right\} \quad \alpha = 0{,}8\,; \; c = -1{,}2$$

Parabel $\qquad y = 0{,}8x^2 - 1{,}2$

Aus $y' = 1{,}6x$ wird $y_1' = -3{,}2$ und $y_2' = 4{,}8$

$$\text{Tangenten} \left\{\begin{array}{l} y = -3{,}2x - 4{,}4 \\ y = 4{,}8x - 8{,}4 \end{array}\right\} \quad P_0\left(\tfrac{1}{2}\,;\,-6\right); \; \delta = 29^\circ\,7'$$

45. Einem gleichseitigen Dreieck mit den Ecken $A\,(0\,;\,c)$, $B\,(0\,;\,-c)$, $C\,(h\,;\,0)$ ist eine in der Scheitelgleichung vorliegende Ellipse einbeschrieben. Die Seite AC wird durch den Berührpunkt P_1 im Verhältnis $AP_1 : P_1C = 2:1$ geteilt. Welche Achsen hat die Ellipse?

Für P_1 ist $\quad x_1 = \frac{2}{3}h\,;\; y_1 = \frac{1}{3}c$, mit $h = c\sqrt{3}$

Tangente $\quad b^2(x_1 - a)(x - a) + a^2y_1y = a^2b^2$

oder $\quad b^2(x_1 - a)\,x + a^2y_1y = ab^2x_1$

und für P_1: $\quad b^2\left(\frac{2}{3}h - a\right)x + \dfrac{a^2c}{3}\,y = \frac{2}{3}ab^2h$

oder $\quad b^2(2h - 3a)\,x + a^2cy = 2ab^2h$

Für $C\,(h\,;\,0)$ ist $b^2(2h - 3a)\,h = 2ab^2h$, also $a = \frac{2}{5}h$

für $A\,(0\,;\,c)$ ist $a^2c^2 = 2ab^2h$, daraus $\quad b = \dfrac{c}{\sqrt{5}}$

46. In das von den vier Geraden mit den Achsenabschnitten $s\;(= \pm 10)$ gebildete Quadrat ist eine Ellipse $(a > b)$ einbeschrieben, wobei der Berührpunkt P_1 die Quadratseite stetig teilt. Gesucht sind die Achsen der Ellipse und die Koordinaten des Berührpunktes. [Es sei $\frac{1}{2}\left(\sqrt{5} - 1\right) = m$.]

Für die Quadratseite im I. Quadranten (= Tangente) ist

$$-1 = -\frac{b^2 x_1}{a^2 y_1}, \quad \text{also} \quad a^2 y_1 = b^2 x_1$$

Mit $x_1 = m \cdot s$ und $y_1 = (1 - m)\, s$ wird $a^2 (1 - m) = b^2 m$

Die Ellipsengleichung liefert $a = s\sqrt{m}$; $b = s\sqrt{1 - m} = sm = x_1$

Ergebnis: $P_1\,(6{,}18\,;\,3{,}82)$, $a = 7{,}86$; $b = 6{,}18$.

47. (Umkehrung) Um eine Ellipse ist ein Quadrat „über Eck" gezeichnet; die Abszisse x_1 des Berührpunktes ist gleich der Achse b (= 5). Man bestimme a und y_1!

Ergebnis: $a = \dfrac{b}{\sqrt{m}} = 6{,}36$; $y_1 = mb = 3{,}09$.

48. Der eine konjugierte Durchmesser einer Nullpunkts-Ellipse mit den Achsen $a = 12$ und $b = 5$ hat die Steigung $m_1 = 1$. Wie lang sind die beiden Durchmesser und welchen Winkel bilden sie?

Es ist $m_2 = -\dfrac{b^2}{a^2}$

Gleichung	Koord. d. Endpunkte	Länge
$y = x$	$x_1 = y_1 = \dfrac{ab}{w}$ *	$d_1 = \dfrac{ab\sqrt{2}}{w} = 6{,}53$
$y = -\dfrac{b^2}{a^2}x$	$x_2 = \dfrac{a^2}{w}$; $y_2 = -\dfrac{b^2}{w}$	$d_2 = \dfrac{\sqrt{a^4 + b^4}}{w} = 11{,}25$

$\tan\varphi = \dfrac{a^2 + b^2}{e^2} = \frac{169}{119}$, $\varphi = 54°\,51'$.

Zur *Probe:* $d_1^2 + d_2^2 = 169$.

49. Zwei konjugierte Durchmesser einer Ellipse $d_1 = 11$ und $d_2 = 16$ schließen einen Winkel $\varphi = 70°$ ein. Man bestimme die Achsen der Ellipse und die Richtungen der Durchmesser gegen die x-Achse.

Aus $a^2 + b^2 = d_1^2 + d_2^2$ und $ab = d_1 d_2 \sin\varphi$ erhält man $a = 16{,}7$ und $b = 9{,}9$. Mit $\varphi = \alpha_1 - \alpha_2$ und $m_1 m_2 = -\dfrac{b^2}{a^2}$ wird $\alpha_1 = 57\tfrac{1}{2}°$, $\alpha_2 = -12\tfrac{1}{2}°$

Probe: $x_1 = 5{,}91$, $y_1 = 9{,}27$, $x_2 = 15{,}62$, $y_2 = -3{,}46$

$x_1^2 = 35$	$x_2^2 = 244$	$a^2 = 279$
$y_1^2 = 86$	$y_2^2 = 12$	$b^2 = 98$
$d_1^2 = 121$	$d_2^2 = 256$	$a^2 + b^2 = 377$

* $w = \sqrt{a^2 + b^2}$.

50. Das Schrägbild eines Kreises ist eine Ellipse*, die in bezug auf den in der Bildachse liegenden Durchmesser ($AB = 2r$) sogenannte „Ohren" hat. Richtiger gesagt handelt es sich um eine gedrehte Ellipse, die leicht gezeichnet werden kann, wenn man ihre Achsen und die Achsenrichtung kennt. Ist φ der Verzerrungswinkel und q das Verkürzungsverhältnis, so ist $CD = 2\varrho = 2r \cdot q$ der auf der Bildachse senkrecht stehende Durchmesser (Abb. 113).

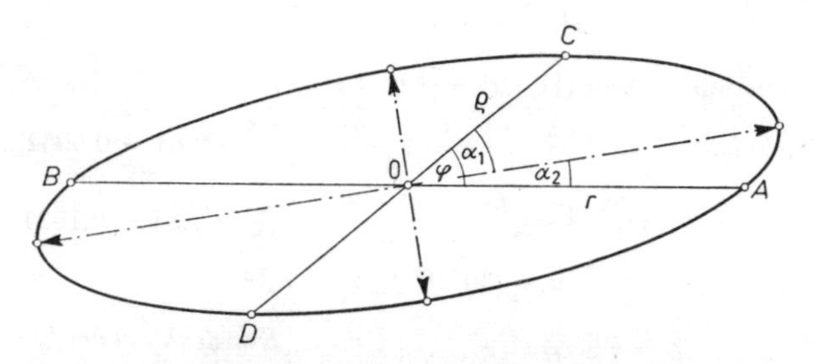

Abb. 113. Ellipse mit „Ohren"

Man stelle eine allgemeine Formel zur Berechnung der Achsenlängen und -richtungen auf, wenn r, q und φ gegeben sind!
Zahlenbeispiel: $r = 10$, $q = \frac{3}{5}$, $\varphi = 40°$, also $\varrho = 6$.

Wie in Aufgabe 49 erhält man

$$a^2 + b^2 = r^2 + \varrho^2 \qquad \text{(I)}$$

$$a \cdot b = r\varrho \sin\varphi \qquad \text{(II)}$$

$$(a \pm b)^2 = r^2 + \varrho^2 \pm 2r\varrho\sin\varphi$$

$$a \pm b = \sqrt{r^2 + \varrho^2 \pm 2r\varrho\sin\varphi} = w_{1,2}$$

also $a + b = w_1$, $a - b = w_2$, daraus

$$a = \tfrac{1}{2}(w_1 + w_2) = 11{,}34; \qquad b = \tfrac{1}{2}(w_1 - w_2) = 3{,}46$$

$$a^2 = 124 \qquad\qquad b^2 = 12$$

Aus $\alpha_1 + \alpha_2 = \varphi$ ergibt sich

$$\tan\varphi = t = \frac{\tan\alpha_1 + \tan\alpha_2}{1 - \tan\alpha_1\tan\alpha_2} = \frac{m_1 + m_2}{1 - m_1 m_2} \quad \text{mit} \quad m_1 m_2 = \frac{b^2}{a^2}\text{**}$$

$$\text{daraus } t = \frac{m_1 + m_2}{1 - \frac{b^2}{a^2}} = \frac{a^2}{a^2 - b^2}(m_1 + m_2) \quad \text{oder} \quad m_1 + m_2 = \frac{a^2 - b^2}{a^2}t$$

---

* Siehe MR 13, Abb. 22.

** Beide Steigungen mögen positiv gerechnet werden.

Wir setzen $m_1 = \frac{a^2 - x^2}{a^2} t$ und $m_2 = \frac{x^2 - b^2}{a^2} t$

dann ist $m_1 m_2 = \frac{b^2}{a^2} = \frac{(a^2 - x^2)(x^2 - b^2)}{a^4} t^2$

oder $a^2 b^2 = [(a^2 + b^2) x^2 - a^2 b^2 - x^4] t^2$

$$a^2 b^2 \frac{1 + t^2}{t^2} = (a^2 + b^2) x^2 - x^4$$

$$x^4 - (a^2 + b^2) x^2 + \frac{a^2 b^2}{\sin^2 \varphi} = 0$$

daraus mit (I) und (II): $x^2 = \varrho^2$ und $x^2 = r^2$

Ergebnis: $m_1 = \frac{a^2 - \varrho^2}{a^2} t = \frac{r^2 - b^2}{a^2} t = \frac{88}{124} \cdot 0{,}84 = 0{,}5954$

$$m_2 = \frac{\varrho^2 - b^2}{a^2} t = \frac{a^2 - r^2}{a^2} t = \frac{24}{124} \cdot 0{,}84 = 0{,}1624$$

$$\alpha_1 = 30°46', \quad \alpha_2 = 9°14'$$

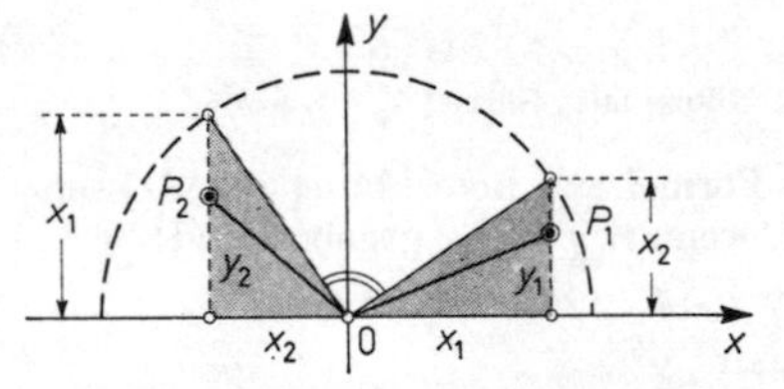

Abb. 114a. Probezeichnung zur Konstruktion

Konstruktion der Längen und Richtungen der Ellipsenachsen, wenn zwei konjugierte Durchmesser OP_1 und OP_2 gegeben sind.

(1) Nach Abb. 114a ist $y_1 = (-) \frac{b}{a} x_2$ und $y_2 = \frac{b}{a} x_1$, also

$$\frac{x_2}{y_1} = \frac{a}{b} \quad \text{und} \quad \frac{x_1}{y_2} = \frac{a}{b} \tag{I}$$

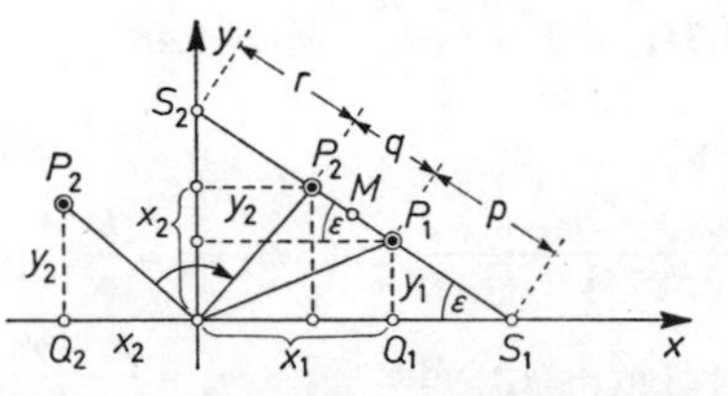

Abb. 114b. Konstruktion der Ellipsenachsen

(2) Wir drehen das $\Delta\, OP_2Q_2$ um 90° im Uhrzeigersinn, verbinden den neuen Punkt P_2 mit P_1 und bringen P_1P_2 mit den Koordinatenachsen in S_1 und S_2 zum Schnitt (Abb. 114 b). Nach dem Strahlensatz ist

$$\frac{p + q}{p} = \frac{x_2}{y_1} \quad \text{und} \quad \frac{r + q}{r} = \frac{x_1}{y_2}$$

Beide Verhältnisse haben nach (I) den Wert $\frac{a}{b}$:

$$\frac{p+q}{p} = \frac{r+q}{r} = \frac{a}{b} \tag{II}$$

oder $1 + \frac{q}{p} = 1 + \frac{q}{r}$, woraus $\boldsymbol{p = r}$ folgt.

Die Mitte M von P_1P_2 ist auch die Mitte von S_1S_2.

(3) Aus $\cos\varepsilon = \frac{x_1}{r+q} = \frac{x_1}{p+q}$ und $\sin\varepsilon = \frac{y_1}{p}$ wird

$$\left(\frac{x_1}{p+q}\right)^2 + \left(\frac{y_1}{p}\right)^2 = 1$$

oder $y_1 = \frac{p}{p+q}\sqrt{(p+q)^2 - x_1^2} = \frac{b}{a}\sqrt{(p+q)^2 - x_1^2}$

Für P_1 gilt die Ellipsengleichung, deshalb ist

$$\boldsymbol{p + q = a} \quad \text{und} \quad \boldsymbol{p = b}$$

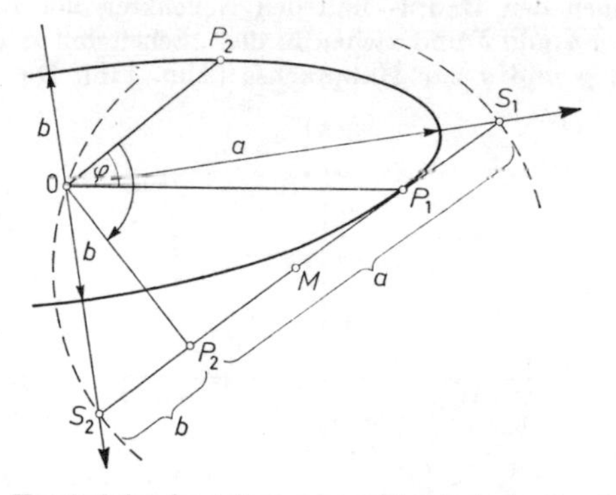

Abb. 115. Konstruktion der Achsen aus zwei konjugierten Durchmessern

(4) Ausführung der Konstruktion (Abb. 115). Man drehe OP_2 um 90°, ziehe P_1P_2 und schlage um die Mitte M den THALES-kreis mit MO als Radius, der P_1P_2 in S_1 und S_2 schneidet. Dann sind OS_1 und OS_2 die Richtungen und S_1P_2 $(= a)$ und S_2P_2 $(= b)$ die Längen der Achsen.

51. Vom Punkt $P_0(14; -1{,}2)$ werden an die Ellipse $9x^2 + 25y^2 = 900$ die Tangenten gelegt. Man bringe die Polare mit der Ellipse zum Schnitt und zeige, daß die Polare mit der

Berührsehne identisch ist. Ferner ziehe man durch den Pol die Geraden $y = -0{,}3x + 3$ und $y = -1{,}2$ und bringe sie sowohl mit der Polaren (Q_1 und Q_2) als auch mit der Ellipse (A_1, B_1 und A_2, B_2) zum Schnitt. Es ist zu zeigen, daß die Strecken P_0Q durch A und B harmonisch geteilt werden.

Polare: $21x - 5y = 150$

Berührpunkte: $P_1\,(8;\ 3{,}6)$, $P_2\,(6;\ -4{,}8)$

Tangenten: $4x + 5y = 50$ und $9x - 20y = 150$

g_1 schneidet die Ellipse in $A_1\,(10;\ 0)$, in $B_1\,(-6;\ 4{,}8)$

g_1 schneidet die Polare in $Q_1\,(7\frac{1}{3};\ 0{,}8)$

g_2 schneidet die Ellipse in $A_2\,(4\sqrt{6};\ -1{,}2)$, in $B_2\,(-4\sqrt{6};\ -1{,}2)$

g_2 schneidet die Polare in $Q_2\,(\frac{48}{7};\ -1{,}2)$

$$P_0A : AQ = -P_0B : BQ;\ \lambda_1 = 1{,}5;\ \lambda_2 = \frac{7}{2\sqrt{6}} = 1{,}43$$

52. Von einer Ellipse sind die Achsen gegeben ($a = 5;\ b = 3$). Man konstruiere ihre Schnittpunkte mit der Geraden $3x - 4y = 3$, ohne die Ellipse zu zeichnen!*

Wir zeichnen den Haupt- und den Nebenkreis der Ellipse mit den Radien a und b und ziehen in den „Scheiteln" A und B die Parallelen p und q zur Hauptachse (Abb. 116). Die Gerade g

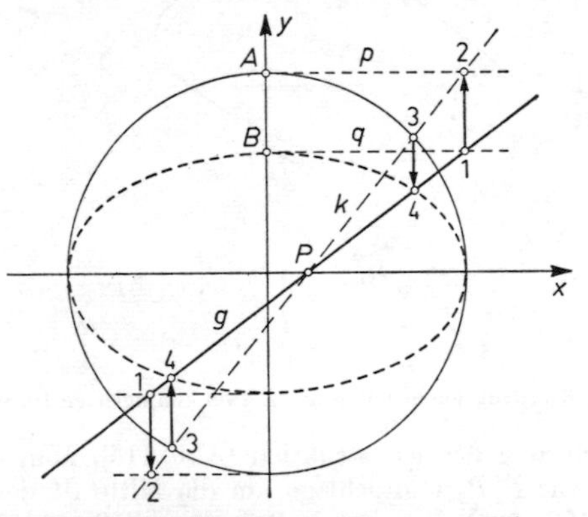

Abb. 116. Schnittpunkte von Gerade und Ellipse

schneidet die Parallele q im Punkt 1; wir fällen das Lot auf p und erhalten den Punkt 2, verbinden ihn mit dem Punkt P auf der Hauptachse und erhalten die Gerade k; sie schneidet

* Diese Aufgabe spielt bei der Konstruktion sphärischer Aufgaben eine große Rolle.

den Hauptkreis im Punkt 3, von dem wir das Lot auf die Hauptachse fällen und so den gesuchten Schnittpunkt 4 der Geraden mit der Ellipse erhalten*.

Beweis: Die Ordinaten der Punkte 1 und 2 verhalten sich nach Konstruktion wie $b : a$; nach dem Strahlensatz gilt das gleiche Verhältnis für die Ordinaten der Punkte 4 und 3. Mithin entspricht dem Punkt 3 des Kreises der Punkt 4 der Ellipse.

§ 58 Ortsaufgaben

53. Gegeben sind die beiden Kreise

$$x^2 + y^2 = R^2 \quad \text{und} \quad (x - a)^2 + y^2 = r^2,$$

die sich im Punkt $B\,(R;\ 0)$ von innen berühren, so daß $a + r = R$ ist. Welches ist der Ort der Mittelpunkte P derjenigen Kreise (Radius ϱ), welche die beiden gegebenen Kreise berühren? Abb. 117.

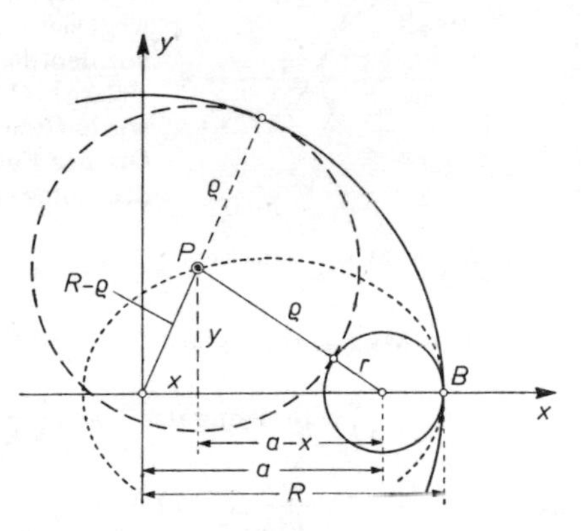

Abb. 117. Der Kreis um P berührt zwei Kreise

Zur Abkürzung: $R + r = s$ und $(R + r)^2 - a^2 = s^2 - a^2 = c^2$

Es ist $\quad y^2 = (R - \varrho)^2 - x^2 = (r + \varrho)^2 - (a - x)^2$

$$R^2 - 2R\varrho = r^2 + 2r\varrho - a^2 + 2ax$$

daraus $$\varrho = \frac{R^2 - r^2 + a^2 - 2ax}{2\,(R + r)}$$

* Durch Rechnung findet man (3,70; 2,02) und (−2,48; −2,61).

mithin $$R - \varrho = \frac{(R + r)^2 - a^2 + 2ax}{2(R + r)} = \frac{c^2 + 2ax}{2s}$$

Aus $$x^2 + y^2 = (R - \varrho)^2 = \left[\frac{c^2 + 2ax}{2s}\right]^2$$

erhält man schließlich die Gleichung einer Ellipse:

$$\frac{\left(x - \frac{a}{2}\right)^2}{\frac{s^2}{4}} + \frac{y^2}{\frac{c^2}{4}} = 1$$

Für $R = 5$, $r = 1$, $a = 4$, also $s = 6$, $c^2 = 20$ lautet die Gleichung der Ortsellipse $\frac{(x - 2)^2}{9} + \frac{y^2}{5} = 1$.

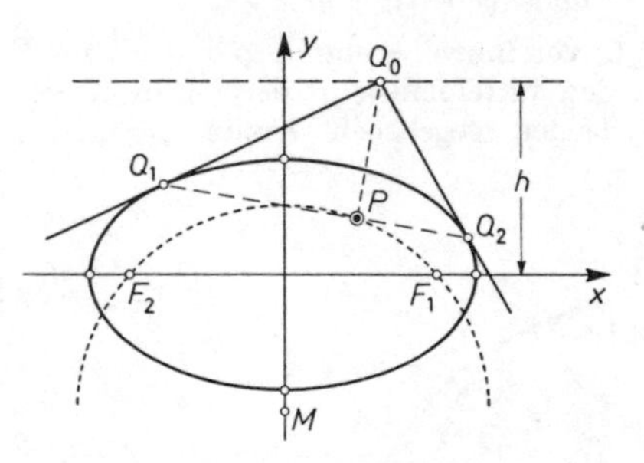

Abb. 118. Der Pol Q_0 bewegt sich auf einer Geraden

54. Gegeben ist die Ellipse $b^2x^2 + a^2y^2 = a^2b^2$ und die Gerade $y = h$. Auf der Geraden bewegt sich ein Punkt Q_0, von dem das Lot auf die Polare Q_1Q_2 gefällt wird. Gesucht ist der Ort des Fußpunktes P des Lotes (Abb. 118).

Pol $Q_0\,(u\,;\,h)$; Polare $b^2ux + a^2hy = a^2b^2$ (I)

Steigung der Polaren $-\frac{b^2u}{a^2h}$, Steigung des Lotes $\frac{a^2h}{b^2u}$

Gleichung des Lotes $y - h = \frac{a^2h}{b^2u}(x - u)$

oder $$a^2hx - b^2uy = e^2hu \qquad \text{(II)}$$

Aus (I) $u = \frac{a^2(b^2 - hy)}{b^2x}$

aus (II) $u = \frac{a^2hx}{e^2h + b^2y}$

$$x^2 + y^2 + \frac{e^2h^2 - b^4}{b^2h}\,y = e^2 \qquad \text{(III)}$$

$$x^2 + \left(y + \frac{e^2h^2 - b^4}{2b^2h}\right)^2 = \left(\frac{e^2h^2 + b^4}{2b^2h}\right)^2$$

Die Ortslinie ist ein Kreis, der durch die Brennpunkte der Ellipse geht; denn für $y = 0$ erhält man aus (III) $x = \pm e$.

Beispiel: $a = 5$, $b = 3$, $e = 4$, $h = 5$;

$$x^2 + \left(y + \tfrac{319}{90}\right)^2 = \left(\tfrac{481}{90}\right)^2 \quad \text{mit} \quad v = -3{,}54; \quad r = 5{,}34$$

55. Die Endpunkte U und V einer gegebenen Strecke $s = u + v$ gleiten auf den Koordinatenachsen. Welche Kurve beschreibt der Punkt P der Strecke? Abb. 119.

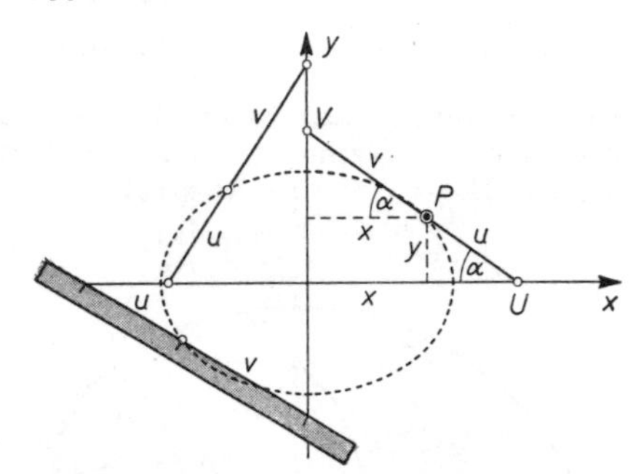

Abb. 119. Papierstreifen-Konstruktion der Ellipse

Aus $\cos\alpha = \dfrac{x}{v}$ und $\sin\alpha = \dfrac{y}{u}$ erhält man sofort

$$\frac{x^2}{v^2} + \frac{y^2}{u^2} = 1$$

Die Ortskurve ist eine Ellipse. Beispiel $u = 3$, $v = 4$.

Die Anwendung dieser Aufgabe ist die sogenannte *Papierstreifen-Konstruktion* der Ellipse.

Anmerkung. Liegt P in der Mitte der Strecke s, so wandert er auf einem Kreis mit s als Durchmesser (vgl. THALESkreis, § 41, Aufgabe 150).

56. Die eine Ecke eines Gelenk-Parallelogramms mit den Seiten p und q ist der Nullpunkt 0. Die x-Achse halbiert den Winkel des Parallelogramms. Welches ist der Ort der vierten Parallelogrammecke P? Abb. 120.

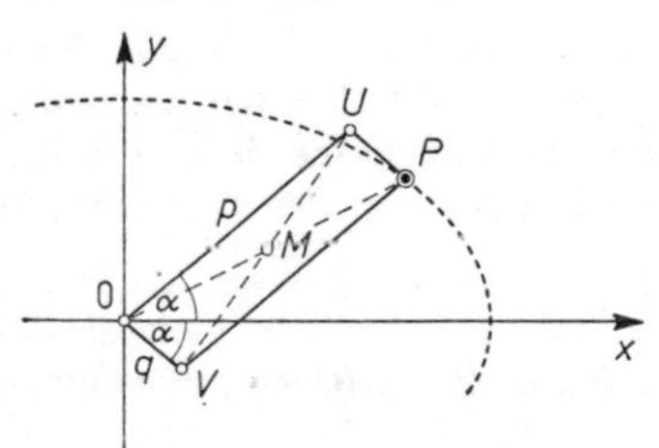

Abb. 120. Ort von P eines Gelenk-Parallelogramms

$$x_U = p \cdot \cos\alpha, \quad y_U = p \cdot \sin\alpha, \quad x_V = q \cdot \cos\alpha, \quad y_V = -q \cdot \sin\alpha$$

daraus $\quad x_M = \dfrac{p + q}{2} \cos\alpha, \quad y_M = \dfrac{p - q}{2} \sin\alpha$

also $\quad x_P = (p + q)\cos\alpha\,, \quad y_P = (p - q)\sin\alpha$

daraus mit dem trigonometrischen Pythagoras

$$\frac{x^2}{(p+q)^2} + \frac{y^2}{(p-q)^2} = 1$$

Für $p = 4$ und $q = 1$ hat die Ellipse die Achsen $a = 5$, $b = 3$.

57. In einem festen Kreis $(M;\,2r)$ rollt ein Kreis $(N;\,r)$. Welche Kurve beschreibt ein Punkt P im Innern des kleinen Kreises? Es sei $NP = a$; Abb. 121.

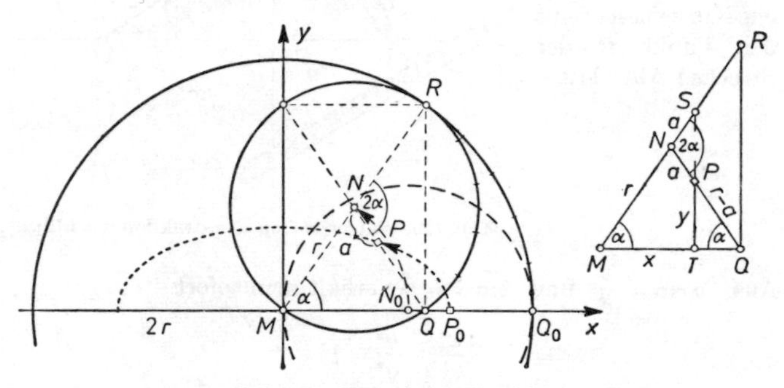

Abb. 121. Cardanisches Getriebe

Der Rollkreis ist in der Ausgangsstellung $(N_0P_0Q_0)$ und in einer zweiten Stellung (NPQ) gezeichnet, nachdem er längs des Bogens Q_0R des großen Kreises gerollt ist*.

Da der Rollkreis den halben Radius und somit auch den halben Umfang des festen Kreises besitzt, so hat sich bei der Drehung des Durchmessers MQ_0 um den Winkel α $(= \sphericalangle RMQ_0)$ der Radius NQ um den doppelten Winkel 2α $(= \sphericalangle RNQ)$ gedreht.

Da dieser Winkel ein Außenwinkel des Dreiecks MNQ ist, so ist das Dreieck gleichschenklig mit $NQ = r$. Daher ist $NS = NP = a$ (siehe Nebenfigur).

Im $\triangle\, MTS$ ist $\cos\alpha = \dfrac{x}{r+a}$, im $\triangle\, QTP$ ist $\sin\alpha = \dfrac{y}{r-a}$,

also
$$\frac{x^2}{(r+a)^2} + \frac{y^2}{(r-a)^2} = 1$$

* Man schneide sich zur Veranschaulichung ein entsprechendes Modell aus Pappe aus.

Für $r = 6$, $a = 2$ bewegt sich P auf der Ellipse $\frac{x^2}{64} + \frac{y^2}{16} = 1$.

Anmerkung. Liegt P auf dem *Umfang* des Rollkreises ($a = r$), so bewegt er sich auf dem Durchmesser des festen Kreises hin und her. Ein Getriebe von zwei Zahnrädern, deren Radien sich wie 2 : 1 verhalten, wandelt also eine Kreisbewegung in eine geradlinige Hin- und Herbewegung um*.

58. Die beiden Brennpunkte einer Ellipse mit den Achsen a und b bilden mit einem Ellipsenpunkt $E(u; v)$ ein Dreieck. Welche Kurve beschreibt der Schwerpunkt P des Dreiecks?

Ergebnis: P beschreibt eine Ellipse mit den Achsen $\frac{1}{3}a$ und $\frac{1}{3}b$.

59. Gegeben ist der Kreis mit dem Mittelpunkt $M(-6; 0)$ und dem Radius $r = 12$, ferner der Punkt $A(12; 0)$. Der Punkt $K(u; v)$ des Kreises bildet mit M und A ein Dreieck mit dem Schwerpunkt S. Man verdopple die Ordinate von S und gebe den Ort des Punktes $P(x; y)$ an!

$$S\left(\frac{6+u}{3}; \frac{v}{3}\right), \quad \text{also} \quad x_P = \frac{6+u}{3}, \quad y_P = \frac{2v}{3}$$

Durch Einsetzen von $u + 6 = 3x$ und $v = \frac{3}{2}y$ in die Kreisgleichung $(u+6)^2 + v^2 = 144$ erhält man

$$\frac{x^2}{16} + \frac{y^2}{64} = 1$$

Die Ortsellipse hat die Achsen $a = 4$ und $b = 8$.

60. Auf der Ellipse $b^2x^2 + a^2y^2 = a^2b^2$ liegt ein fester Punkt $A(p; q)$. Von einem laufenden Punkt $B(u; v)$ wird das Lot auf die x-Achse gefällt, dessen Fußpunkt $C(u; 0)$ ist. Gesucht ist der Ort des Schwerpunktes des Dreiecks ABC.

$$x = \frac{p+2u}{3}, \quad y = \frac{q+v}{3}, \qquad \text{daraus} \quad u = \frac{3x-p}{2}, \quad v = 3y - q,$$

mithin
$$\frac{(x - \frac{1}{3}p)^2}{\frac{4}{9}a^2} + \frac{(y - \frac{1}{3}q)^2}{\frac{1}{9}b^2} = 1$$

Der Ort ist eine Ellipse mit den Achsen $\frac{2}{3}a$ und $\frac{1}{3}b$; sie schneidet die x-Achse bei $+p$ und $-\frac{1}{3}p$.

Beispiel. $a = 5$, $b = 3$, $p = 3$, $q = 2{,}4$;

Ellipse:
$$\frac{(x-1)^2}{(\frac{10}{3})^2} + \frac{(y-0{,}8)^2}{1^2} = 1$$

---

* CARDANO, 1501 ··· 1576. Von ihm stammt auch die nach ihm benannte Formel zur Lösung kubischer Gleichungen (MR 24).

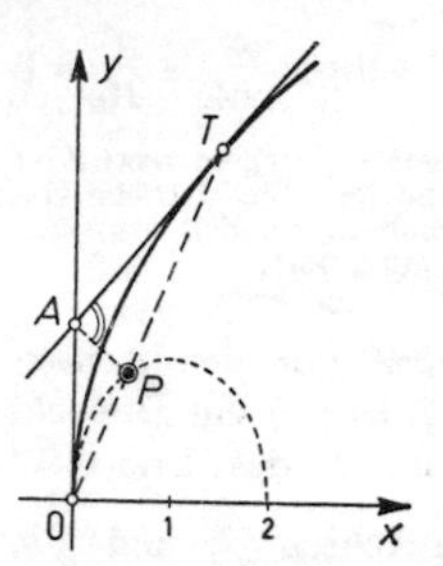

61. Die Tangente in $T\,(u\,;\,v)$ an die Parabel $y^2 = 2px$ wird mit der y-Achse in A zum Schnitt gebracht und in A das Lot errichtet, das OT in P trifft. Gesucht ist der Ort von P, wenn T auf der Parabel läuft (Abb. 122).

Abb. 122.
Ort von P bei veränderlichen Parabeltangenten

Tangente: $vy = p\,(x + u)$ mit der Steigung $\dfrac{p}{v}$

$$\left.\begin{aligned} \text{Lot } AP:&\quad y = -\frac{v}{p}x + \frac{v}{2} \\ OP:&\quad y = \frac{v}{u}x \end{aligned}\right\} \quad x = \frac{pu}{2\,(p+u)}, \quad y = \frac{pv}{2\,(p+u)}$$

Aus $u = \dfrac{2px}{p - 2x}$, $v = \dfrac{2py}{p - 2x}$ kommt mit $v^2 = 2pu$ schließlich

$$2x^2 + y^2 = px$$

oder

$$\frac{(x - \frac{1}{4}p)^2}{\frac{1}{16}p^2} + \frac{y^2}{\frac{1}{8}p^2} = 1$$

Für $p = 4$ hat die Ellipse die Gleichung $\dfrac{(x-1)^2}{1} + \dfrac{y^2}{2} = 1$; sie berührt die Parabel in ihrem Scheitel*.

62. Gegeben ist die Ecke $A\,(a\,;\,a)$ eines Quadrates nebst den zu den Achsen symmetrisch liegenden Ecken B, C und D. In A trage man die Strecke u nach rechts (U) und die Strecke v nach unten (V) an. Man ziehe BV und DU und bestimme den Ort des Schnittpunktes P für den Fall $u = 2v$ (Abb. 123).

$$BV:\quad y - a = -\frac{v}{2a}\,(x + a) \qquad\qquad DP:\quad y + a = \frac{2a}{u}\,(x - a)$$

Koordinaten von P:

$\xi \equiv \dfrac{x}{a} = \dfrac{4a^2 + 4au - uv}{4a^2 + uv} = \dfrac{2a^2 + 4av - v^2}{2a^2 + v^2}$	$+$	
$\eta \equiv \dfrac{y}{a} = \dfrac{4a^2 - 4av - uv}{4a^2 + uv} = \dfrac{2a^2 - 2av - v^2}{2a^2 + v^2}$	$-$	$\cdot 2$

* Warum? Als „Schnittpunkte“ von Ellipse und Parabel erhält man aus $2x^2 + y^2 = px$ und $y^2 = 2px$ die Werte $x = 0$ und $x = -\frac{1}{2}p$; für den letzten Wert existiert weder die Ellipse noch die Parabel.

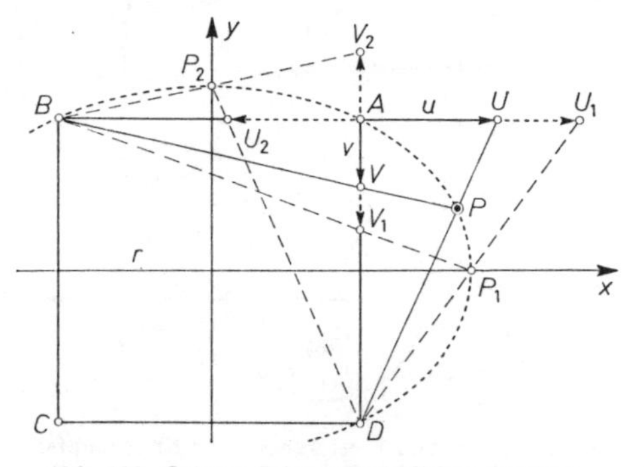

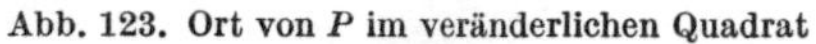
Abb. 123. Ort von P im veränderlichen Quadrat

$$\xi - \eta = \frac{6av}{2a^2 + v^2} \tag{I}$$

$$s \equiv \xi + 2\eta = \frac{3(2a^2 - v^2)}{2a^2 + v^2} \quad \text{oder} \quad \frac{s}{3} = \frac{2a^2 - v^2}{2a^2 + v^2}$$

daraus
$$v^2 = 2a^2 \frac{3 - s}{3 + s} \tag{II}$$

und
$$2a^2 + v^2 = \frac{12a^2}{3 + s} \tag{III}$$

(III) in (I) eingesetzt ergibt
$$v = \frac{2a(\xi - \eta)}{3 + s} \tag{IV}$$

Aus (IV) und (II) erhält man

$$2(\xi - \eta)^2 = 9 - s^2 = 9 - (\xi + 2\eta)^2 \quad \text{oder} \quad \xi^2 + 2\eta^2 = 3$$

$$\frac{x^2}{3a^2} + \frac{y^2}{\frac{3}{2}a^2} = 1$$

Die Ortskurve ist eine Ellipse durch die vier Ecken des Quadrates.

Es sei $a = 1$. Für den rechten Ellipsenscheitel $(\sqrt{3};\, 0)$ wird aus (IV) $v = \sqrt{3} - 1 = 0{,}73$, also $u = 1{,}46$; für den oberen Ellipsenscheitel $(0;\, \frac{1}{2}\sqrt{6})$ wird $v = 2 - \sqrt{6} = -0{,}45$, also $u = -0{,}9$. Man vergleiche die betreffenden Punkte in der Abbildung.

63. Gegeben sind der Kreis $x^2 + y^2 = r^2$, der Punkt $A\,(-2r;\, 0)$ und die Gerade $x = 2r$. Auf dem Kreis bewegt sich ein Punkt $K\,(u;\, v)$. Man bringe AK mit der Geraden in G zum Schnitt, ziehe durch G die Parallele zur x-Achse und schneide sie mit dem Ursprungsstrahl OK in P. Gesucht ist der Ort von P (Abb. 124).

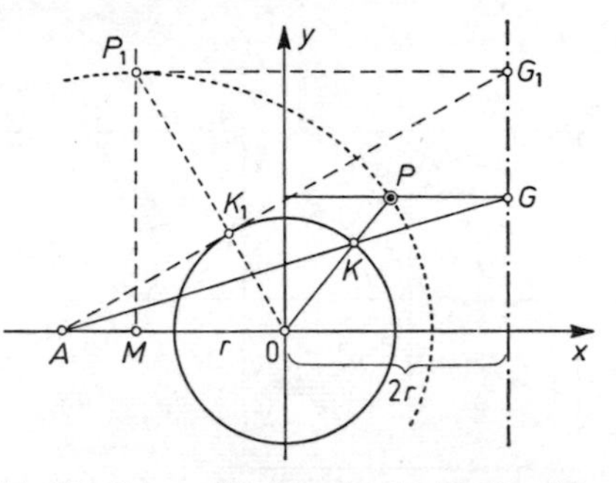

Abb. 124. Ort von P bei wandernden Kreispunkten

Gleichung von AK: $\quad y = \dfrac{v}{u + 2r}(x + 2r)$

Wegen $x = 2r$ ist $y_G = y_P = \dfrac{v}{u + 2r} \cdot 4r$

Gleichung von OK: $\quad y = \dfrac{v}{u}\, x$

$$\frac{4r}{u + 2r} = \frac{x}{u}$$

daraus $\quad u = \dfrac{2rx}{4r - x}, \quad v = \dfrac{2ry}{4r - x}$

Mit $u^2 + v^2 = r^2$ erhält man

$$\frac{(x + \frac{4}{3}r)^2}{\frac{64}{9}r^2} + \frac{y^2}{\frac{16}{3}r^2} = 1$$

Für $r = 3$ heißt die Ellipse $\quad \dfrac{(x + 4)^2}{64} + \dfrac{y^2}{48} = 1.$

Da $e = \frac{4}{3}r\ (= 4)$, so ist der Nullpunkt der rechte Brennpunkt der Ellipse.

Zusatzfrage: Für welchen Punkt K_1 des Kreises ist P der Nebenscheitel der Ellipse? Es ist $x = -\dfrac{4}{3}r$, $y = \dfrac{4r}{\sqrt{3}}$, daraus $u = -\dfrac{r}{2}$, $v = \dfrac{r}{2}\sqrt{3}$; man muß OK_1 unter 120° zeichnen (Punkt P_1).

64. Auf den Schenkeln eines Winkels AOB, die gegeben sind durch die Gleichungen $y = mx$ und $y = -mx$, bewegen sich die Endpunkte A und B einer Strecke $AB = c$ von konstanter Länge. Welches ist der Ort der Streckenmitte $P(\xi;\eta)$?

Die Gleichung von AB sei $\quad \dfrac{x}{u} + \dfrac{y}{v} = 1 \quad$ oder $\quad vx + uy = uv$

Schnitt mit OA: $vx + u \cdot mx = uv \to x_1 = \frac{uv}{mu+v}$, $y_1 = \frac{muv}{mu+v}$

Schnitt mit OB: $vx + u \cdot (-mx) = uv \to x_2 = \frac{uv}{v-mu}$, $y_2 = \frac{-muv}{v-mu}$

Koordinaten von P:

$$\left.\begin{aligned} \xi &= \frac{x_1+x_2}{2} = \frac{uv}{N}\cdot v \\ \eta &= \frac{y_1+y_2}{2} = -\frac{uv}{N}m^2u \end{aligned}\right\} \qquad \text{(I)}$$

mit $N = v^2 - m^2u^2$

Wir setzen diese Werte in $c^2 = (x_1 - x_2)^2 + (y_1 - y_2)^2$ ein:

$$c^2 = \left(\frac{2muv}{N}\right)^2 \cdot (u^2 + v^2) \qquad \text{(II)}$$

Aus (I) ist $u = -\frac{N}{uv}\cdot\frac{\eta}{m^2}$ und $v = \frac{N}{uv}\cdot\xi$, also

$$u^2 + v^2 = \frac{N^2}{u^2v^2}\left[\xi^2 + \frac{\eta^2}{m^4}\right] \quad \text{oder} \quad \frac{u^2v^2(u^2+v^2)}{N^2} = \xi^2 + \frac{\eta^2}{m^4}$$

In (II) eingesetzt: $\xi^2 m^2 + \frac{\eta^2}{m^2} = \frac{c^2}{4}$

Die Ortslinie ist eine Ellipse mit den Achsen $\frac{c}{2m}$ und $\frac{mc}{2}$.

Beispiel: $c = 6$, $m = \frac{3}{4}$; dann ist $a = 4$ und $b = \frac{9}{4}$.

Anmerkung. Für $m = 1$ ($\sphericalangle AOB = 90°$) ist die Ortskurve der THALESkreis mit dem Radius $\frac{1}{2}c$.

65. Man verbinde den Punkt $Q(u;\,v)$ einer Mittelpunktsellipse mit dem Nullpunkt, ferner die Punkte $A(u;\,0)$ und $B(0;\,b)$ und bringe OQ und AB in P zum Schnitt. Gesucht ist der Ort von $P(x;\,y)$, wenn sich Q auf der Ellipse bewegt.

$$\left.\begin{aligned} OQ:&\quad y = \frac{v}{u}x \\ AB:&\quad \frac{x}{u} + \frac{y}{b} = 1 \end{aligned}\right\} \quad x = \frac{bu}{b+v}, \quad y = \frac{bv}{b+v}$$

daraus $v = \frac{by}{b-y}$, $u = \frac{bx}{b-y}$

Mit der Ellipsengleichung erhält man

$$y = -\frac{b}{2a^2}(x^2 - a^2) = -\frac{b}{2a^2}x^2 + \frac{b}{2}$$

Die nach unten geöffnete Parabel geht durch die Hauptscheitel der Ellipse $(\pm a;\ 0)$.

66. Um den Nullpunkt dreht sich ein rechter Winkel, dessen Schenkel die Gerade $y = h$ in C und die Gerade $y = -h$ in D schneidet. C wird mit $B(0;\ -h)$ und D mit $A(0;\ h)$ verbunden. Welches ist der Ort des Schnittpunktes $P = AD \times BC$?

Die Steigungen von OC und OD seien m und $-\frac{1}{m}$;

dann ist $C\left(\frac{h}{m};\ h\right)$ und $D(mh;\ -h)$

$$\left.\begin{array}{ll} AD: & y - h = -\frac{2}{m}x \\ BC: & y + h = 2mx \end{array}\right\} \quad x = \frac{m}{m^2+1}h, \quad y = \frac{m^2-1}{m^2+1}h$$

Wir eliminieren m:

$$m^2 = \frac{h+y}{h-y}, \quad 1 + m^2 = \frac{2h}{h-y}, \quad 2x = m(h-y), \quad 4x^2 = h^2 - y^2$$

$$\frac{x^2}{\frac{1}{4}h^2} + \frac{y^2}{h^2} = 1$$

Als Ortslinie ergibt sich eine Ellipse mit den Achsen $\frac{1}{2}h$ und h.

DIE HYPERBEL

§ 59 Die Hyperbel als Ortslinie

1. Analytische Definition

Die Hyperbel ist der Ort aller Punkte, die von zwei festen Punkten, den Brennpunkten F_1 und F_2, eine konstante Abstandsdifferenz ($= 2a$) haben; Abb. 125.

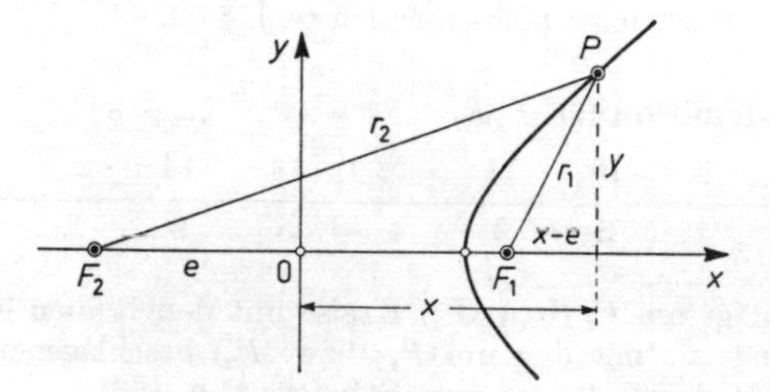

Abb. 125. Die Hyperbel als geometrischer Ort

Es sei $F_1F_2 = 2e$; $F_1P = r_1$; $F_2P = r_2$; $r_2 - r_1 = 2a$
Aus $r_1^2 = (x - e)^2 + y^2$ und $r_2^2 = (x + e)^2 + y^2$ folgt

$$\sqrt{(x + e)^2 + y^2} - \sqrt{(x - e)^2 + y^2} = 2a$$

Die weitere Umformung geschieht wie bei der Ellipse (§ 50); man findet zunächst

$$r_2 = \frac{ex}{a} + a\,, \quad r_1 = \frac{ex}{a} - a \tag{59.1}$$

und erhält schließlich

$$e^2 - a^2 = \frac{e^2 - a^2}{a^2}\,x^2 - y^2$$

und mit der Abkürzung $e^2 - a^2 = b^2$ die Gleichung der Hyperbel

$$\boldsymbol{\frac{x^2}{a^2} - \frac{y^2}{b^2} = 1} \text{ oder } \boldsymbol{b^2x^2 - a^2y^2 = a^2b^2} \text{ oder } \boldsymbol{y = \frac{b}{a}\sqrt{x^2 - a^2}} \tag{59.2}$$

2. Diskussion

Die Hyperbel liegt symmetrisch zu beiden Koordinatenachsen. Geltungsbereich $|x| \geqq a$; für $x = \pm a$ ist $y = 0$ (Hauptscheitel); die Hyperbel existiert *nicht* zwischen $-a$ und $+a$, hat also *keine* (reellen) Nebenscheitel. Die Brennpunktsordinate ist (wie bei der Ellipse)

$$y_F = \frac{b^2}{a}$$

Im Gegensatz zur Ellipse ($e^2 = a^2 - b^2$, also $e < a$) ist bei der Hyperbel

$$e^2 = a^2 + b^2, \quad \text{also} \quad e > a \tag{59.3}$$

Dabei ist eine geometrische Deutung der eingeführten Abkürzung $b^2 = e^2 - a^2$ zunächst nicht möglich (vgl. § 60,5).

3. Konstruktion für $F_1F_2 = 2e = 10$; $2a = 8$

r_2	9	10	11	12	13	14	...	r_1
r_1	1	2	3	4	5	6	...	r_2

Man schlägt um F_2 (bzw. F_1) Kreise mit den Radien 9, 10 usw. und bringt sie mit den um F_1 (bzw. F_2) geschlagenen Kreisen mit den Radien 1, 2 usw. zum Schnitt (Abb. 126).

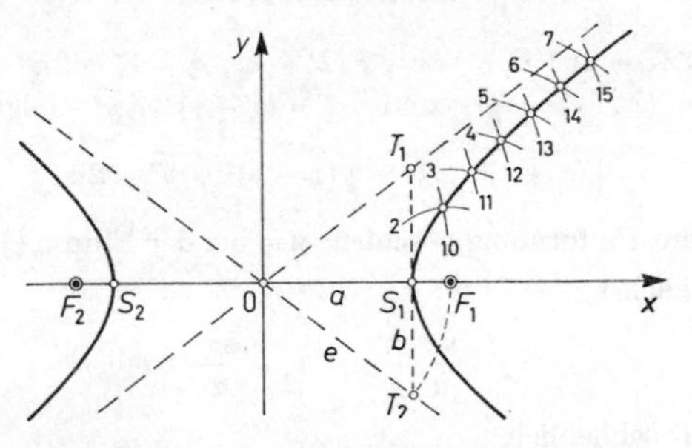

Abb. 126. Punktweise Konstruktion der Hyperbel

Die Hyperbel besitzt zwei zur y-Achse symmetrische Äste, die sich nach rechts und links bis ins Unendliche erstrecken. Insofern zeigen die Hyperbeläste eine gewisse Ähnlichkeit mit einer Parabel. Einen wesentlichen Unterschied werden wir in § 60 kennenlernen.

4. Zweite Konstruktion

mit Hilfe des Leitkreises (Abb. 127); sie entspricht der Konstruktion der Ellipse in § 51.

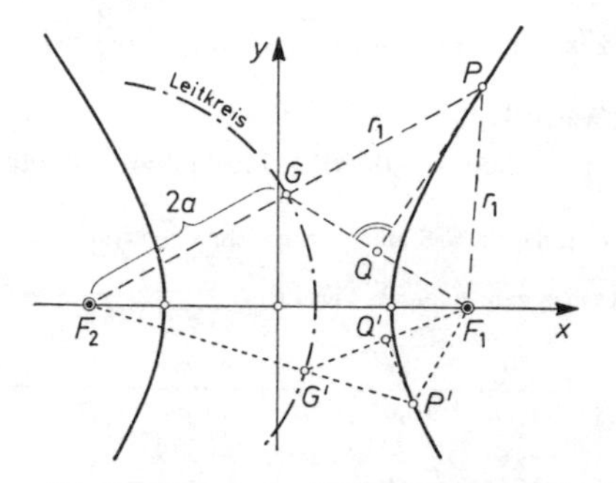

Abb. 127. Konstruktion mit dem Leitkreis

§ 60 Die Asymptoten

1. Spezielle Untersuchung

Wir betrachten die Hyperbel mit $e = 5$ und $a = 4$, also $b = 3$. Ihre explizite Gleichung heißt

$$y = \pm \tfrac{3}{4}\sqrt{x^2 - 16}$$

Wir berechnen die Ordinaten zu einigen großen Abszissen:

$\pm x$	10	25	50	100	1000	···	10^6
$\pm y$	6,87	18,51	37,38	74,94	749,994	···	$\approx \frac{3}{4} \cdot 10^6$
zum Vergleich $\pm \frac{3}{4}x$	7,50	18,75	37,50	75	750	···	$\frac{3}{4} \cdot 10^6$

Je größer wir x wählen, desto mehr kommt y an den Wert $\frac{3}{4}x$ heran! Dieses Ergebnis findet man auch mit der Näherungsformel

$\sqrt{1 - \alpha} \approx 1 - \frac{\alpha}{2}$ *:

* wenn α eine im Vergleich zu 1 sehr kleine Größe ist. Durch Quadrieren erhält man $1 - \alpha \approx 1 - \alpha + \frac{1}{4}\alpha^2$.

$$y = \tfrac{3}{4}\sqrt{x^2 - 16} = \tfrac{3}{4}\sqrt{x^2\left(1 - \frac{16}{x^2}\right)} = \tfrac{3}{4}\,x\sqrt{1 - \frac{16}{x^2}} \approx \tfrac{3}{4}\,x\left(1 - \frac{8}{x^2}\right)$$

$$y \approx \tfrac{3}{4}\,x - \frac{6}{x}$$

Bei großem x ist y um nur etwa $\frac{6}{x}$ kleiner als $\frac{3}{4}x$ (man vergleiche die Tabellenwerte!); für $x = 10000$ ist

$$y = 7500 - 0{,}0006 = 7499{,}9994 \approx 7500$$

Zum Vergleich: Eine *Parabel* mit der gleichen Sperrung $\left(p = \frac{b^2}{a} = \frac{9}{4}\right)$, also $y^2 = \frac{9}{2}x$, zeigt einen ganz anderen Verlauf

x	10	25	50	100	10000	··· 10^6
$\pm y$	6,71	10,61	15	21,2	67,1	··· 2120

2. Allgemeine Untersuchung

Für $x \to \infty$ strebt in der Gleichung der Hyperbel

$$y = \pm\frac{b}{a}\sqrt{x^2 - a^2} = \pm\frac{b}{a}\,x\sqrt{1 - \frac{a^2}{x^2}}$$

der Bruch $\frac{a^2}{x^2} \to 0$, die Wurzel $\to 1$. Wir erhalten

$$y = \pm\frac{b}{a}\,x$$

Dieser Ausdruck stellt aber die Gleichungen zweier Nullpunktsgeraden mit den Steigungen $+\frac{b}{a}$ und $-\frac{b}{a}$ dar.

3. Asymptoten

Für $x \to \infty$ nähert sich die Hyperbel mehr und mehr den beiden Geraden $y = \pm\frac{b}{a}x$. Diese Geraden werden als die Asymptoten der Hyperbel bezeichnet. Die Absolutwerte der Hyperbelordinaten sind kleiner als die Absolutwerte der Asymptotenordinaten.

Die Hyperbel $\frac{x^2}{a^2} - \frac{y^2}{b^2} = 1$ oder $y = \pm\frac{b}{a}\sqrt{x^2 - a^2}$

hat die Asymptoten $y = \pm\frac{b}{a}\,x$.

4. Zeichnen der Asymptoten

Die Asymptoten der Hyperbel lassen sich leicht zeichnen, indem man in dem einen Scheitel S die Strecke b $\left(= \sqrt{e^2 - a^2}\right)$ nach oben und unten abträgt. Oder: Man schneidet das Lot in S_1 durch den Kreis um O mit dem Radius $OF_1 = e$ und erhält die Punkte T_1 und T_2. OT_1 und OT_2 sind die Asymptoten.

5. Die Nebenachse *b*

der Hyperbel erscheint nunmehr als die senkrechte Kathete des Steigungsdreiecks der Asymptoten. Sie wird häufig als die „imaginäre Achse" bezeichnet. Schreibt man die Gleichung der Hyperbel – in Anlehnung an die der Ellipse – in der Form

$$\frac{x^2}{a^2} + \frac{y^2}{-b^2} = 1$$

so ist die Nebenachse $\sqrt{-b^2} = bi$.

6. Skizzieren einer Hyperbel

Man zeichne zunächst die Asymptoten und schmiege die von den Scheiteln ausgehenden Hyperbeläste den Asymptoten an.

§ 61 Tangente und Polare

1. Die Tangente

Durch implizites Differenzieren der Hyperbelgleichung erhält man die

Steigung in P_1: $$y' = \frac{b^2 x_1}{a^2 y_1} \tag{61.1}$$

und dann mit der Einpunktform:

$$\boldsymbol{b^2 x_1 x - a^2 y_1 y = a^2 b^2} \quad \text{oder} \quad \boldsymbol{\frac{x_1 x}{a^2} - \frac{y_1 y}{b^2} = 1} \tag{61.2}$$

2. Die Normale

hat die Steigung $-\frac{a^2 y_1}{b^2 x_1}$, woraus sich mit der Einpunktform ihre Gleichung ergibt:

$$a^2 y_1 x + b^2 x_1 y = e^2 x_1 y_1 \tag{61.3}$$

3. Brennpunktseigenschaft der Hyperbel (Abb. 128)

Wir fällen von den Brennpunkten F_1 und F_2 die Lote d_1 und d_2 auf die im Punkt P_1 $(x_1;\ y_1)$ gelegte Tangente. Wie bei der Ellipse (§ 53) erhalten wir

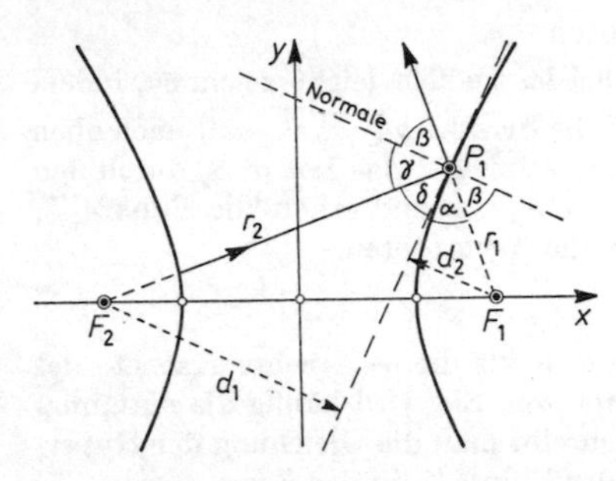

$$d_{1,2} = \frac{\pm\, b^2 x_1 e - a^2 b^2}{\sqrt{b^4 x_1^2 + a^4 y_1^2}} = $$
$$= (\pm)\,\frac{ab^2}{W}\left(\frac{e x_1}{a} \mp a\right),$$

also

$$d_1 = \frac{ab^2}{W}\, r_1\,,\quad d_2 = \frac{ab^2}{W}\, r_2$$

Abb. 128. Brennpunktseigenschaft der Hyperbel

Daraus folgt wegen $\frac{d_1}{r_1} = \sin\alpha$ und $\frac{d_2}{r_2} = \sin\delta$ die Gleichheit der Winkel α und δ und damit die Gleichheit der zwischen den Brennstrahlen und der Normalen liegenden Winkel β und γ.

Ein Lichtstrahl, der auf einen Hyperbelspiegel so auftrifft, als ob er aus dem einen Brennpunkt käme, wird derart zurückgeworfen, als ob der reflektierte Strahl aus dem anderen Brennpunkt käme*.

4. Ein Satz

Das Produkt der Abstände d_1 und d_2 hat den konstanten Wert b^2. Der Beweis sei dem Leser überlassen (vgl. bei der Ellipse, § 53).

5. Pol und Polare

Zieht man vom Pol P_0 die Tangenten an die Hyperbel, so hat die Polare die Gleichung (vgl. Ellipse, § 54)

$$b^2 x_0 x - a^2 y_0 y = a^2 b^2 \quad \text{oder} \quad \frac{x_0 x}{a^2} - \frac{y_0 y}{b^2} = 1 \qquad (61.4)$$

6. Konstruktion der Tangenten

a) in einem Punkt P_1 der Hyperbel. Man verbindet P_1 mit den Brennpunkten und halbiert den Winkel zwischen den Brennstrahlen; man erhält die Normale und damit die Tangente (vgl. Abb. 128).

b) von einem Punkt P_0 an die Hyperbel (vgl. Ellipse, § 54.2). Man bringt den Hauptkreis der Hyperbel mit dem Thaleskreis über P_0F_1 zum Schnitt; dann sind P_0Q_1 und P_0Q_2 die gesuchten Tan-

* Der Ellipsenspiegel ist ein Hohlspiegel; der Hyperbelspiegel ist ein erhabener Spiegel; siehe Physik-Repetitorien.

genten. Die Berührpunkte erhält man, indem man F_1Q_1 um sich selbst verlängert (G_1) und G_1 mit F_2 verbindet; dann schneidet G_1F_2 die Tangente P_0Q_1 im Berührpunkt P_1.

§ 62 Durchmesser*

1. Der Durchmesser als Ortslinie

Die Mitten aller Sehnen mit der Steigung m liegen auf dem Durchmesser mit der Steigung $\frac{b^2}{m a^2}$; der Durchmesser hat die Gleichung

$$y = \frac{b^2}{m a^2} x \tag{62.1}$$

2. Tangenten in den Endpunkten des Durchmessers

Die Endpunkte des Durchmessers $D_1 D_2$ haben die Koordinaten

$$x_D = \pm \frac{ma^2}{\sqrt{m^2 a^2 - b^2}} = \pm \frac{m a^2}{w}, \quad y_D = \pm \frac{b^2}{w}$$

Die in den Endpunkten des Durchmessers $D_1 D_2$ gelegten Tangenten haben die Gleichung

$$y = mx \mp w$$

Sie sind also der Sehnenschar parallel.

3. Konjugierte Durchmesser

Zwei Durchmesser, welche die zu ihnen parallelen Sehnen gegenseitig halbieren, heißen konjugierte Durchmesser. Das Produkt ihrer Steigungen hat den konstanten Wert

$$m \cdot n = \frac{b^2}{a^2} \tag{62.2}$$

4. Länge eines Durchmessers

Im Gegensatz zur Ellipse schneidet nur *einer* der beiden konjugierten Durchmesser die Hyperbel; deshalb kann man nur von diesem Durchmesser die Länge angeben. (Abb. 129).

Die Durchmesser seien $y = mx$ und $y = nx$ mit $m \cdot n = \frac{b^2}{a^2}$

---

* Die folgenden Formeln erhält man wie bei der Ellipse (§ 55); ihre Ableitung sei dem Leser überlassen.

Den Schnittpunkt mit der Hyperbel erhält man aus

$$b^2x^2 - a^2m^2x^2 = a^2b^2$$

also $$x = \frac{ab}{\sqrt{b^2 - m^2a^2}} = \frac{b}{\sqrt{\frac{b^2}{a^2} - m^2}} = \frac{b}{w}, \quad y = \frac{mb}{w}$$

Länge des Durchmessers $d = \sqrt{x^2 + y^2} = \dfrac{b\sqrt{1 + m^2}}{w}$

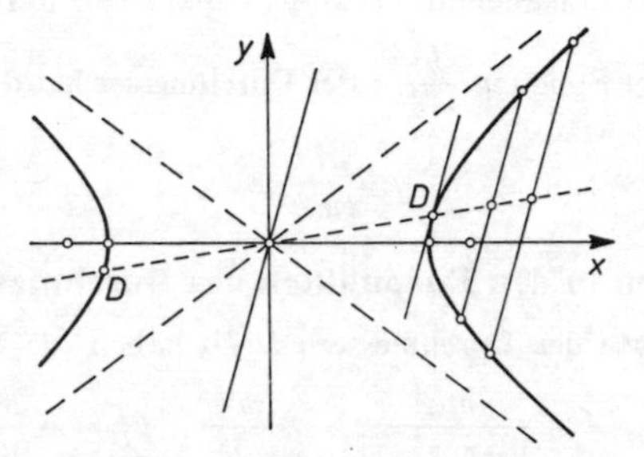

Abb. 129. Konjugierte Durchmesser

Ein Schnittpunkt existiert nur für $m < \dfrac{b}{a}$, also wenn die Steigung des Durchmessers kleiner als die Asymptotensteigung ist. Für $m < \dfrac{b}{a}$ ist dann $n > \dfrac{b}{a}$; dieser Durchmesser schneidet die Hyperbel nicht!

§ 63 Sätze über die Asymptoten

1. **Die Abschnitte einer Sekante zwischen der Hyperbel und den Asymptoten haben gleiche Länge** (Abb. 130):

$$A_1H_1 = A_2H_2$$

Wir bringen die Gerade $y = mx + k$ sowohl mit der Hyperbel als auch mit ihren Asymptoten zum Schnitt.

1.1 Hyperbel × Gerade:

$$b^2x^2 - a^2(mx + k)^2 = a^2b^2$$

daraus $$(b^2 - m^2a^2)\,x^2 - 2ma^2kx - a^2(b^2 + k^2) = 0$$

Nach VIETA ist die Summe der Lösungen gleich $\frac{2ma^2k}{b^2 - m^2a^2}$;
also hat die Mitte M von H_1H_2 die Abszisse

$$x_M = \frac{ma^2k}{b^2 - m^2a^2}$$

1.2 Asymptoten × Gerade:

$$mx + k = \pm \frac{b}{a}x$$

daraus $$x_A = \frac{-ak}{ma \pm b} \cdot \frac{ma \mp b^*}{ma \mp b} = \frac{ak(ma \mp b)}{b^2 - m^2a^2}$$

mithin hat die Mitte von A_1A_2 die gleiche Abszisse

$$x_M = \frac{ma^2k}{b^2 - m^2a^2}$$

Damit ist der vorstehende Satz bewiesen.

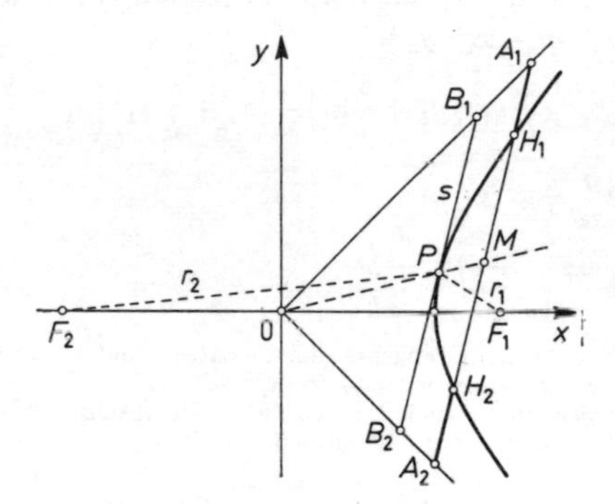

Abb. 130. Sätze über die Asymptoten

2. Der Abschnitt B_1B_2 einer Tangente zwischen den Asymptoten wird durch den Berührpunkt P halbiert: $PB_1 = PB_2$.

Dieser Satz folgt aus 1, wenn die Sekante zur Tangente wird.

3. Der Abschnitt der Tangente zwischen Berührpunkt und Asymptote ist das geometrische Mittel aus den Brennstrahlen des Berührpunktes: $PB = s = \sqrt{r_1 r_2}$.

Wir bringen die Tangente mit den Asymptoten zum Schnitt:

$$b^2x_1x - a^2y_1 \cdot \left(\pm \frac{b}{a}x\right) = a^2b^2$$

oder $$(bx_1 + ay_1)\,x = a^2b$$

* Wir erweitern mit $ma \mp b$.

daraus $$x_B = \frac{a^2 b}{b x_1 \mp a y_1} \cdot \frac{b x_1 \pm a y_1{}^*}{b x_1 \pm a y_1} = \frac{b x_1 \pm a y_1}{b} = x_1 \pm \frac{a}{b} y_1$$

$$y_B = \pm \frac{b}{a}\left(x_1 \pm \frac{a}{b} y_1\right) = y_1 \pm \frac{b}{a} x_1$$

Nun ist $x_B - x_1 = \frac{a}{b} y_1$ und $y_B - y_1 = \frac{b}{a} x_1$, also

$$s^2 = \frac{a^2 y_1^2}{b^2} + \frac{b^2 x_1^2}{a^2} = (x_1^2 - a^2) + \frac{b^2}{a^2} \cdot x_1^2 = \frac{e^2}{a^2} \cdot x_1^2 - a^2$$

$$= \left(\frac{e}{a} x_1 + a\right)\left(\frac{e}{a} x_1 - a\right) = r_1 \cdot r_2, \quad \text{also} \quad s = \sqrt{r_1 \cdot r_2}$$

4. Das von einer Tangente und den Asymptoten gebildete Dreieck (das Tangenten-Asymptoten-Dreieck OB_1B_2) hat die konstante Fläche F = $a \cdot b$.

Mit den vorstehend berechneten Koordinaten von B wird

$$2\,\mathrm{F} = x_2 \cdot y_1 - x_1 \cdot y_2 =$$

$$= \left(x_1 - \frac{a}{b} y_1\right)\left(y_1 + \frac{b}{a} x_1\right) - \left(x_1 + \frac{a}{b} y_1\right)\left(y_1 - \frac{b}{a} x_1\right) =$$

$$= 2\frac{b}{a} x_1^2 - 2\frac{a}{b} y_1^2$$

$$\mathrm{F} = \frac{b^2 x_1^2 - a^2 y_1^2}{ab} = \frac{a^2 b^2}{ab} = ab$$

Anmerkung. Für die Scheiteltangente sind die Sätze 3 und 4 ohne weiteres klar:
zu 3. $r_2 = a + e$, $r_1 = a - e$, also $r_1 \cdot r_2 = a^2 - e^2 = b^2 \equiv s^2$
zu 4. $\mathrm{F} = \frac{1}{2} a \cdot 2b = ab$. Auch hier erscheint die „Achse" b als die halbe Scheiteltangente zwischen den Asymptoten.

§ 64 Sonderfälle der Hyperbel

1. Die nach oben und unten geöffnete Hyperbel

Vertauscht man die reelle und die imaginäre Achse der Hyperbel ($a^2 < 0$; $b^2 > 0$), so hat diese Hyperbel (Abb. 131) die Gleichung

$$-\frac{x^2}{a^2} + \frac{y^2}{b^2} = 1 \quad \text{oder} \quad y = \frac{b}{a}\sqrt{x^2 + a^2}$$

mit dem Geltungsbereich $-\infty < x < +\infty$. Aus der nach x aufgelösten Gleichung

$$x = \frac{a}{b}\sqrt{y^2 - b^2}$$

---

* Wir erweitern mit $b x_1 \pm a y_1$; das Produkt der Nenner $b^2 x_1^2 - a^2 y_1^2 = a^2 b^2$.

erkennt man, daß diese Hyperbel für $|y| < b$ nicht existiert. Aus $y = \frac{b}{a} x \sqrt{1 + \frac{a^2}{x^2}}$ folgt für $x \rightarrow \infty$ die Asymptotengleichung

$$y = \pm \frac{b}{a} x$$

Dabei sind die Absolutwerte der Hyperbelordinaten größer als die Absolutwerte der Asymptotenordinaten.

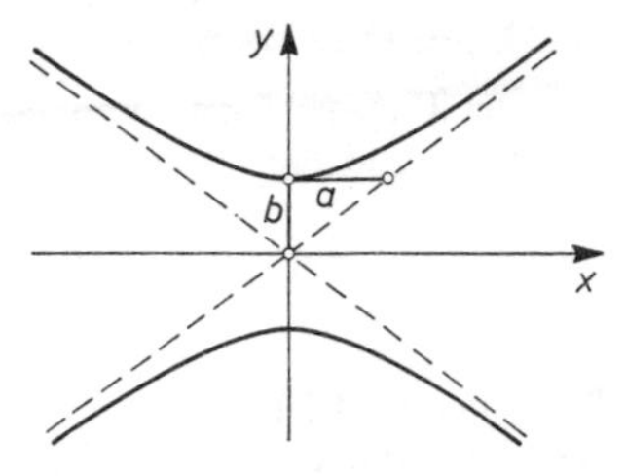

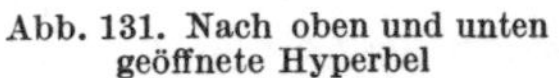
Abb. 131. Nach oben und unten geöffnete Hyperbel

2. Die gleichseitige Hyperbel

Für $b = a$ geht die Gleichung (59.2) über in

$$x^2 - y^2 = a^2 \quad \text{oder} \quad y = \sqrt{x^2 - a^2}$$

Ihre Asymptoten

$$y = \pm x$$

sind die Winkelhalbierenden der Quadranten, stehen also aufeinander senkrecht. Diese Hyperbel wird auch als *gleichseitige* Hyperbel bezeichnet.

3. Die Funktion $x \cdot y = k^2$

Man zeichne die gleichseitige Hyperbel $x^2 - y^2 = 8$, sowie die Funktion $x \cdot y = 4$. Die zweite Kurve wird durchgepaust und um den Nullpunkt im Uhrzeigersinn um 45° gedreht (Abb. 132).

Wir stellen fest, daß die zweite Kurve mit der gleichseitigen Hyperbel deckungsgleich, also auch eine gleichseitige Hyperbel ist. Näheres in § 71.7.

Die Hyperbel $x \cdot y =$ konstant ist der graphische Ausdruck für die Tatsache, daß zwei Größen (hier x und y) im umgekehrten Verhältnis stehen (vgl. MR 3, § 1). Beispiele aus der Physik sind das Gasgesetz von Boyle-Mariotte ($p \cdot v =$ konstant) und das Ohmsche Gesetz: Bei konstanter Spannung U sind Stromstärke I und Widerstand R umgekehrt proportional ($I \cdot R = U$).

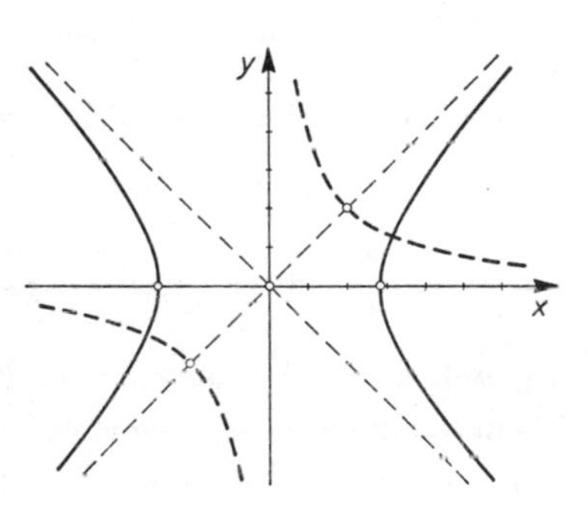

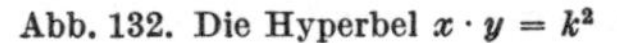
Abb. 132. Die Hyperbel $x \cdot y = k^2$

4. Allgemeine Lage

Für die Hyperbel mit dem Mittelpunkt $M\,(u\,;\,v)$, sowie für die Tangente und die Polare gilt das bei der Ellipse Gesagte (§ 56).

§ 65 Aufgaben

67. An die Hyperbel mit den Achsen $a = 4$, $b = 3$ ist die Tangente im Punkt $P_1\,(6\,;\,\frac{3}{2}\sqrt{5})$ gezogen. Von den Brennpunkten werden die Lote d_1 und d_2 auf die Tangente gefällt. Man zeige, daß $d_1 \cdot d_2 = b^2 = 9$ ist!

Tangente: $\frac{6}{16}x - \frac{1}{9}\cdot\frac{3}{2}\sqrt{5}\cdot y = 1$ oder $9x - 4\sqrt{5}\cdot y - 24 = 0$

HESSEsche Normalform: $\dfrac{9x - 4\sqrt{5}\cdot y - 24}{\sqrt{161}} = 0$

Mit $x = \pm\, e = \pm\, 5$ und $y = 0$ wird $d = \dfrac{\pm\, 9\cdot 5 - 24}{\sqrt{161}} = \dfrac{\pm\, 45 - 24}{\sqrt{161}}$

$$d_1 = \frac{21}{\sqrt{161}}, \quad d_2 = \frac{69}{\sqrt{161}}, \quad d_1\cdot d_2 = \frac{21\cdot 69}{161} = \frac{7\cdot 3\cdot 3\cdot 23}{7\cdot 23} = 9$$

68. Die Gerade $y = x - c$ berührt die Hyperbel mit den Asymptoten $y = \pm\, mx$. Gesucht sind die Achsen, der Berührpunkt und die Länge der Tangente zwischen den Asymptoten.
Zahlenbeispiel: $c = 4\,;\; m = \frac{3}{5}$.

$$\frac{x_1 x}{a^2} - \frac{y_1 y}{b^2} = 1 \;\text{ ist identisch mit }\; \frac{x}{c} - \frac{y}{c} = 1$$

also $\quad \dfrac{x_1}{a^2} = \dfrac{1}{c}$ und $\dfrac{y_1}{b^2} = \dfrac{1}{c}$ oder $\dfrac{x_1}{a} = \dfrac{a}{c}$ und $\dfrac{y_1}{b} = \dfrac{b}{c}$

Mit der Hyperbelgleichung erhält man

$$\frac{a^2 - b^2}{c^2} = 1 \quad\text{oder}\quad a^2 - b^2 = c^2\;(= 16)$$

Da $\quad m = \pm\,\dfrac{b}{a}$, so ist $a^2(1 - m^2) = c^2$, daraus $a = \dfrac{c}{\sqrt{1 - m^2}}$

Ergebnis: $a = 5$, $b = 3$, $e = \sqrt{34}$, $P_1\,(\frac{25}{4}\,;\,\frac{9}{4})$

Schnittpunkte mit den Asymptoten aus

$\quad y = x - 4 = \pm\,\frac{3}{5}x$, also $A_1\,(10\,;\,6)$ und $A_2\,(2\frac{1}{2}\,;\,-1\frac{1}{2})$

Länge der Tangente $2s = \frac{15}{2}\sqrt{2} = 10{,}6$

Probe: $r = \frac{e}{a}x \pm a = \frac{5}{4}\sqrt{34} \pm 5$; $r_1 = 12{,}3$; $r_2 = 2{,}3$

$s = \sqrt{r_1 \cdot r_2} = \sqrt{\frac{450}{16}} = \frac{15}{4}\sqrt{2}$

69. In welchen Punkten berühren die vom Pol $P_0\ (2;\ \frac{1}{2})$ an die Hyperbel $9x^2 - 16y^2 = 144$ gezogenen Tangenten?

Polare: $9x - 4y = 72$ oder $4y = 9\,(x - 8)$

also $9x^2 - 81\,(x - 8)^2 = 144$ oder $x^2 - 18x + 74 = 0$

$x = 9 \pm \sqrt{7}$, $y = \frac{9}{4}(1 \pm \sqrt{7})$; $P_1\,(11{,}65;\ 8{,}2)$, $P_2\,(6{,}35;\ 3{,}7)$

70. Eine Hyperbel mit der Exzentrizität $e = 3\sqrt{2}$ hat die konjugierten Durchmesser

$$3x - 4y - 14 = 0 \quad \text{und} \quad 4x - 3y + 7 = 0\,.$$

Wie heißt die Hyperbelgleichung? Wo schneidet der eine Durchmesser die Hyperbel und wie lang ist er?

Steigungen der Durchmesser: $m_1 = \frac{3}{4}$, $m_2 = \frac{4}{3}$

Wegen $m_1 \cdot m_2 = \dfrac{b^2}{a^2} = 1$ ist $a = b = 3$ (gleichseitige Hyperbel).

Der Schnittpunkt der beiden Durchmesser ist der Mittelpunkt der Hyperbel: $M\,(-10;\ -11)$.

Hyperbel: $(x + 10)^2 - (y + 11)^2 = 9$

Der erste Durchmesser schneidet die Hyperbel in den Punkten $D_1\,(-5{,}5;\ -7{,}6)$ und $D_2\,(-14{,}5;\ -14{,}4)$; Länge $= 11{,}27$.

71. Die konjugierten Durchmesser einer Hyperbel mit $b = 2a$ bilden einen Winkel von 45°. Der Durchmesser mit der kleineren Steigung hat die Länge $d = 4$. Welche Achsen hat die Hyperbel? Wie heißen die Gleichungen der beiden Durchmesser? Welche Koordinaten haben die Endpunkte des gegebenen Durchmessers?

$$\frac{m_2 - m_1}{1 + m_1 m_2} = \tan 45° = 1\,, \quad \text{also} \quad m_2 - m_1 = 1 + m_1 m_2$$

$$m_1 \cdot m_2 = \frac{b^2}{a^2} = 4 \qquad\qquad m_2 - m_1 = 5$$

daraus $$m_1 = \frac{-5 \pm \sqrt{41}}{2} = \begin{cases} 0{,}7 \\ -5{,}7 \end{cases} \qquad m_2 = \begin{cases} -5{,}7 \\ 0{,}7 \end{cases}$$

Wir rechnen mit den positiven Werten*:

Gleichungen der Durchmesser: $y = 0{,}7x$ und $y = 5{,}7x$

* Die negativen Werte gelten für die zu den Achsen symmetrischen Punkte.

Endpunkte des Durchmessers mit $m_1 = \tan\alpha = 0{,}7$ ($\alpha = 35°$):

$$x = d \cdot \cos\alpha = \pm\, 3{,}28\,; \quad y = d \cdot \sin\alpha = \pm\, 2{,}29$$

Aus $\quad \frac{x^2}{a^2} - \frac{y^2}{4\,a^2} = 1$ kommt $a^2 = x^2 - \frac{1}{4}\,y^2$, daraus

$$a = 3{,}07\,, \quad b = 6{,}15$$

Rechnet man mit $m_1 = \frac{\sqrt{41} - 5}{2}$ und

$$a^2 = d^2\,(\cos^2\alpha - \tfrac{1}{4}\sin^2\alpha) = d^2\,(1 - \tfrac{5}{4}\sin^2\alpha)$$

und setzt $\quad \sin^2\alpha = \frac{m^2}{1 + m^2}$

so erhält man nach Rationalmachen des Nenners

$$a^2 = \frac{d^2}{16}\,(\sqrt{41} + 3)$$

und daraus $a = 3{,}066$ und $b = 6{,}133$ als genauere Werte.

72. An die Hyperbel $x^2 - 4y^2 = 20$ wird im Punkt $P_1\,(6\,; > 0)$ die Tangente gelegt und mit den Asymptoten zum Schnitt gebracht (A_1 und A_2). Zeige, daß A_1A_2 durch P_1 halbiert wird! Berechne die Fläche des Dreiecks $O\,A_1\,A_2$!

Zunächst ist $y_1 = 2$, also $P_1\,(6\,;\,2)$

Tangente: $3x - 4y = 10$; Asymptoten: $y = \pm\,\frac{1}{2}x$

$A_1\,(10\,;\,5)$, $A_2\,(2\,;\,-1)$, Mitte $\equiv P_1\,(6\,;\,2)$

Fläche $\mathrm{F} = 10\,(= a \cdot b)$.

73. An die Hyperbel $9x^2 - 16y^2 = 144$ wird in dem Punkt $P_1\,(5\,; > 0)$ die Tangente gelegt; ferner wird parallel zur Tangente eine Gerade gezeichnet, welche die y-Achse bei -8 schneidet. Man bestätige an diesem Beispiel die Sätze in § 63.

Es ist $P_1\,(5\,;\,\frac{9}{4})$

Tangente: $5x - 4y = 16$ } $B_1\,(8\,;\,6)$, $B_2\,(2\,;\,-1{,}5)$

Asymptoten $y = \pm\,\frac{3}{4}x$

Gerade: $y = \frac{5}{4}x - 8$ } $A_1\,(16\,;\,12)$, $A_2\,(4\,;\,-3)$

Schnittpunkte der Geraden mit der Hyperbel aus

$$x^2 - 20x + 73 = 0\,, \quad \text{daraus} \quad H_1\,(15{,}2\,;\,11)\,, \quad H_2\,(4{,}8\,;\,-2)$$

Satz 1. $A_1H_1 = A_2H_2 = \sqrt{1{,}64} = 0{,}2\,\sqrt{41} = 1{,}28$

Satz 2. $P_1B_1 = P_1B_2 = \frac{3}{4}\,\sqrt{41} = 4{,}8$

Satz 3. $r_1 = \frac{9}{4}$, $r_2 = \frac{41}{4}$, also $\sqrt{r_1 \cdot r_2} = \frac{3}{4}\,\sqrt{41} = 4{,}8$

Satz 4. $2\,\mathrm{F} = 2 \cdot 6 + 8 \cdot 1{,}5 = 24$, also $\mathrm{F} = 12$

74. Die Brennpunkte einer Hyperbel mit der Achse $b = 3$ haben die Ordinaten $\pm\,5$. Die in den Punkten $P_1\,(-3\,; < 0)$ und $P_2\,(6\,; < 0)$ gelegten Tangenten sind zum Schnitt zu bringen.

Da die Brennpunkte auf der y-Achse liegen, ist die Hyperbel nach oben und unten geöffnet. Aus $e^2 = a^2 + b^2$ wird $a = 4$.

Hyperbel: $-\frac{x^2}{16} + \frac{y^2}{9} = 1$ oder $y = \frac{3}{4}\sqrt{x^2 + 16}$

Berührpunkte: $P_1(-3;\ -\frac{15}{4})$, $P_2(6;\ -\frac{3}{2}\sqrt{13})$

Tangentengleichung: $-9x_1x + 16y_1y = 144$

Tangenten: $9x - 20y = 48$ und $9x - 4\sqrt{13}\cdot y = 24$

Schnittpunkt P_0 $\begin{cases} x_0 = \frac{2}{3}(5\sqrt{13} - 17) = 0{,}685 \\ y_0 = -\frac{3}{2}(\sqrt{13} - 5) = -2{,}092 \end{cases}$

75. Wie heißt die Gleichung der Tangente im Punkt $P_1(x_1; y_1)$ an die Hyperbel $x \cdot y = c^2$? Zeige, daß die Achsenabschnitte der Tangente $x_0 = 2x_1$ und $y_0 = 2y_1$ sind! Berechne die Fläche des Tangenten-Asymptoten-Dreiecks!

Aus $y = \frac{c^2}{x}$ wird $y' = -\frac{c^2}{x^2} = -\frac{y}{x}$

Tangente: $y - y_1 = -\frac{y_1}{x_1}(x - x_1)$, daraus

$$\boldsymbol{y_1x + x_1y = 2c^2} \qquad \text{(I)}$$

$$x_0 = \frac{2c^2}{y_1} = 2x_1; \quad y_0 = \frac{2c^2}{x_1} = 2y_1; \quad \mathrm{F} = \tfrac{1}{2}x_0y_0 = 2x_1y_1 = 2c^2$$

Da die gleichseitige Hyperbel die Achsen $c\sqrt{2}$ hat, so ist F das Produkt aus den Achsen (vgl. § 63.4).

76. Durch Koordinatenverschiebung ist nachzuweisen, daß die gebrochene Funktion

$$y = \frac{mx - a}{x - b}$$

eine Hyperbel $\xi \cdot \eta = c^2$ darstellt.

Asymptoten: $\begin{cases} \text{Für } x \to \infty \text{ ist } y = m \\ \text{für } y \to \infty \text{ ist } x = b \end{cases}$

Asymptotenschnittpunkt $A(b;\ m)$

Verschiebung: $x = \xi + b$; $y = \eta + m$, also

$$\eta + m = \frac{m(\xi + b) - a}{\xi}, \quad \text{daraus}$$

$$\xi \cdot \eta = mb - a \text{ (konstant)}$$

Zahlenbeispiel (Abb. 133): $y = \dfrac{2x-4}{x-5}$ oder $\xi \cdot \eta = 6$*

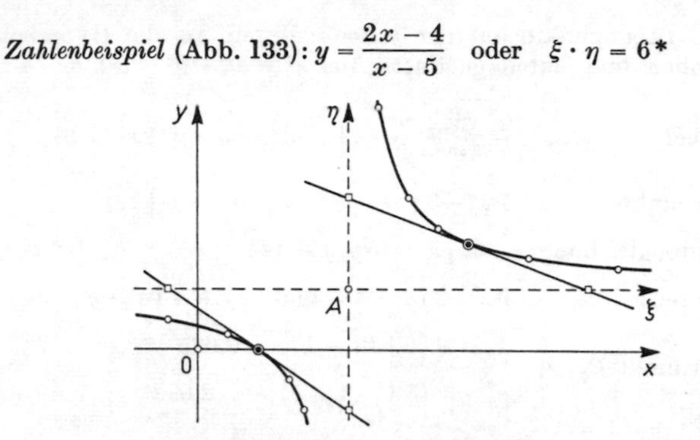

Abb. 133. Verschobene Hyperbel

77. Unter welchem Winkel δ schneidet die gleichseitige Hyperbel $x^2 - y^2 = c^2$ den Kreis $x^2 + y^2 = r^2$?

Schnittpunkt: $x_1 = \sqrt{\dfrac{r^2+c^2}{2}}$, $y_1 = \sqrt{\dfrac{r^2-c^2}{2}}$

$$m_K = -\frac{x_1}{y_1},\quad m_H = \frac{x_1}{y_1},\quad \tan\delta = \frac{2m}{1-m^2} = \frac{\sqrt{r^4-c^4}}{c^2} = \sqrt{\left(\frac{r}{c}\right)^4 - 1}\ {**}$$

Beispiel: $r = 5$, $c = 3$; $\tan\delta = \frac{4}{9}\sqrt{34} = 2{,}59$; $\delta \approx 69°$

78. Man ziehe in den Punkten $P_1\,(5;\ 2\tfrac{1}{4})$ und $P_2\,(8;\ -3\sqrt{3})$ die Tangenten an die Hyperbel $9x^2 - 16y^2 = 144$ und bestimme den Pol P_0. Durch P_0 ziehe man die Parallele zur x-Achse, die die Hyperbel in A und B und die Polare in Q schneidet. Es ist zu zeigen, daß die Punkte A, B, P_0 und Q vier harmonische Punkte sind.

Ergebnis: $P_0\,(2{,}709;\ -0{,}614)$; $Q\,(x = 6{,}154)$
$A\,(x = 4{,}083)$; $B\,(x = -4{,}083)$
$AP_0 = 1{,}374$; $P_0B = 6{,}792$; $AQ = 2{,}071$; $QB = -10{,}237$;
$AP_0 : P_0B = 0{,}202$; $AQ : QB = -0{,}202$

* In den Punkten $x_1 = 2$; $y_1 = 0$ [$\xi_1 = -3$; $\eta_1 = -2$] und $x_2 = 9$; $y_2 = 3{,}5$ [$\xi_2 = 4$; $\eta_2 = 1{,}5$] sind die Tangenten gezeichnet; ihre Steigungen sind $-\frac{2}{3}$ und $-\frac{3}{8}$.
Nach (I) in Aufgabe 75 haben die Tangenten die Gleichungen
$$-2\xi - 3\eta = 12 \quad\text{und}\quad 1{,}5\xi + 4\eta = 12;$$
ihre Achsenabschnitte sind $\xi_0 = -6$, $\eta_0 = -4$ und $\xi_0 = 8$, $\eta_0 = 3$.

** $\cos\delta = \dfrac{1}{\sqrt{1+\tan^2\delta}} = \left(\dfrac{c}{r}\right)^2$.

79. Welchen Radius muß der Kreis $(x - u)^2 + y^2 = r^2$ haben, wenn er die Hyperbel $b^2x^2 - a^2y^2 = a^2b^2$ rechtwinklig schneiden soll? Welchen Bedingungen ist u unterworfen?

$$m_K = -\frac{x_1 - u}{y_1}, \quad m_H = \frac{b^2 x_1}{a^2 y_1},$$

daraus $\qquad b^2 x_1 (x_1 - u) = a^2 y_1^2 = b^2 (x_1^2 - a^2)$,

also $\qquad x_1 = \frac{a^2}{u}, \quad y_1 = \frac{b}{u}\sqrt{a^2 - u^2}$

Bedingungen: $u \neq 0$ und $u < a$.

Durch Einsetzen der Koordinaten des Schnittpunktes in die Kreisgleichung erhält man den Radius:

$$r = \frac{1}{u}\sqrt{(a^2 - u^2)(e^2 - u^2)}$$

Beispiel: $a = 5$, $b = 4$ $(e = \sqrt{41})$, $u = 3$.

Dann ist $\qquad P_1 \left(\frac{25}{3};\ \pm \frac{16}{3}\right)$, $r = \frac{16}{3}\sqrt{2}$

Kreistg.: $x \mp y = 3$; $\qquad$ Hyperbeltg.: $x \pm y = \frac{41}{3}$

80. Welchen Radius muß der Kreis $(x - 2)^2 + y^2 = r^2$ haben, damit er die Hyperbel $x^2 - y^2 = 9$ rechtwinklig schneidet?

$$m_K = -\frac{x_1 - 2}{y_1}; \quad m_H = \frac{x_1}{y_1},$$

also $\qquad x_1 (x_1 - 2) = y_1^2$ oder $x_1^2 - y_1^2 = 2x_1$

Mit der Hyperbelgleichung wird sofort $x_1 = 4{,}5$; $y_1 = \pm \frac{3}{2}\sqrt{5}$, daraus mit der Kreisgleichung: $r = \sqrt{17{,}5} = 4{,}18$.

81. Für welchen Wert von u und in welchen Punkten schneidet die Parabel $y^2 = 6(x + u)$ die Hyperbel $x^2 - y^2 = 4$ rechtwinklig?

$$m_P = \frac{3}{y_1}; \quad m_H = \frac{x_1}{y_1}, \quad \text{also} \quad 3x_1 = -y_1^2$$

Aus $\quad -3x_1 = 6(x_1 + u)$ wird $x_1 = -\frac{2}{3}u$; $y_1 = \sqrt{2u}$

Mit der Hyperbelgleichung erhalten wir aus $\frac{4}{9}u^2 - 2u = 4$:

$$u = 6$$

Die Parabel $y^2 = 6(x + 6)$ schneidet die Hyperbel in den Punkten $S(-4;\ \pm 2\sqrt{3})$ unter rechten Winkeln.

82. Wo liegt der Scheitel der Parabel $y^2 = 2p(x + u)$, die von der Hyperbel $b^2x^2 - a^2y^2 = a^2b^2$ rechtwinklig geschnitten wird? Man gebe die Koordinaten der Schnittpunkte an für $a = 4$; $b = 2$, $p = 6$!

Ergebnis: $x_1 = -\frac{1}{2}(w+p)$ mit $w = \sqrt{p^2 + 4a^2}$; $u = \dfrac{2a^2+b^2}{4a^2}(w+p)$:

$$u = 9;\quad x_1 = -8;\quad y_1 = \pm 2\sqrt{3}$$

83. Man zeige, daß die Hyperbel $x \cdot y = c^2$ durch Drehung um 45° im Uhrzeigersinn in die Hyperbel $\xi^2 - \eta^2 = 2c^2$ übergeht!
Nach Abb. 134 ist $\xi = r\cos\alpha$, $\eta = r\sin\alpha$,
ferner $x = r\cos(\alpha + 45°) = r(\cos\alpha\cos 45° - \sin\alpha\sin 45°)$

$$y = r\sin(\alpha + 45°) = r(\sin\alpha\cos 45° + \cos\alpha\sin 45°)$$

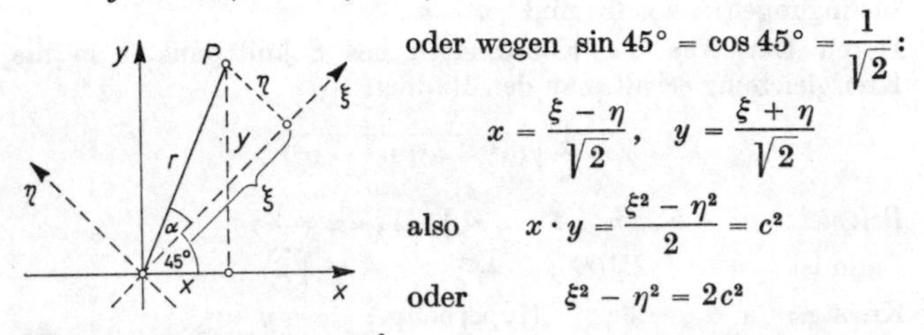

oder wegen $\sin 45° = \cos 45° = \dfrac{1}{\sqrt{2}}$:

$$x = \frac{\xi - \eta}{\sqrt{2}},\quad y = \frac{\xi + \eta}{\sqrt{2}}$$

also $$x \cdot y = \frac{\xi^2 - \eta^2}{2} = c^2$$

oder $$\xi^2 - \eta^2 = 2c^2$$

Abb. 134. Achsendrehung um 45°

84. In welchen Punkten und unter welchen Winkeln schneiden sich die Hyperbeln

$$\frac{x^2}{9} - \frac{y^2}{16} = 1 \quad\text{und}\quad -\frac{x^2}{36} + \frac{y^2}{25} = 1$$

Ergebnis: $x_1 = \frac{2}{13}\sqrt{1599} = 6{,}15$; $y_1 = \frac{20}{39}\sqrt{195} = 7{,}16$

$$m_1 = \frac{16x_1}{9y_1} = 1{,}527;\quad m_2 = \frac{25x_1}{36y_1} = 0{,}597;\quad \tan\delta = 0{,}487;\quad \delta = 26°$$

85. Man zeige, daß jede gleichseitige Hyperbel $x^2 - y^2 = a^2$ von jeder gleichseitigen Hyperbel $x \cdot y = c^2$ rechtwinklig geschnitten wird! Abb. 135.

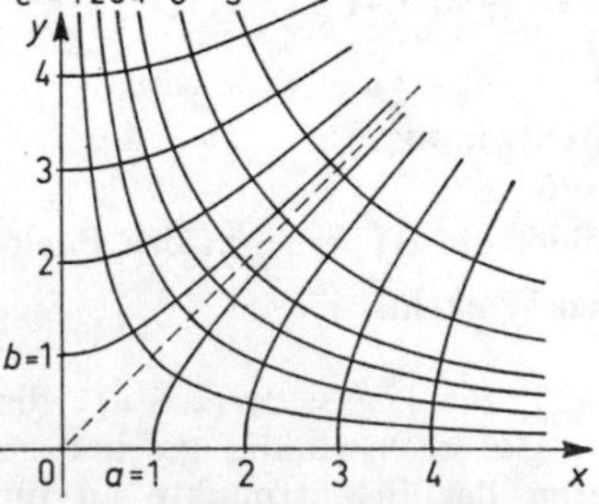

t_1: $x_1x - y_1y = a^2$,

also $m_1 = \dfrac{x_1}{y_1}$

t_2: Für $y = \dfrac{c^2}{x}$ ist $y_1' = -\dfrac{c^2}{x_1^2} =$

$$= -\frac{x_1y_1}{x_1^2} = -\frac{y_1}{x_1} = -\frac{1}{m_1}$$

Damit ist die Behauptung bewiesen.

Abb. 135. Orthogonale Hyperbeln

86. In welchen Punkten und unter welchem Winkel schneiden sich die Hyperbeln

$$\frac{x^2}{9} - \frac{y^2}{1} = 1 \quad \text{und} \quad x \cdot y = 2$$

Durch Kombinieren beider Gleichungen erhält man

$$x^4 - 9x^2 - 36 = 0 \quad \text{mit} \quad x^2 = 12$$

also $$x = \pm 2\sqrt{3}\,; \quad y = \pm \tfrac{1}{3}\sqrt{3}$$

Steigg. d. Tg. $m_1 = \frac{2}{3}$; $m_2 = -\frac{1}{6}$, daraus $\tan\delta = \frac{15}{16}$, $\delta = 43°10'$

87. Man zeige, daß sich die Hyperbel $\frac{x^2}{a^2} - \frac{y^2}{b^2} = 1$ und die Ellipse $\frac{x^2}{\alpha^2} + \frac{y^2}{\beta^2} = 1$ dann rechtwinklig schneiden, wenn ihre Brennpunkte zusammenfallen (wenn sie „konfokal" sind)!

Aus $m_{\mathrm{H}} = \frac{b^2 x}{a^2 y}$; $m_{\mathrm{E}} = -\frac{\beta^2 x}{\alpha^2 y}$ folgt $b^2\beta^2 x^2 = a^2\alpha^2 y^2$ *

Mit der Ellipsen- bzw. Hyperbelgleichung erhalten wir

$$b^2\beta^2 x^2 = a^2\alpha^2 \frac{\beta^2}{\alpha^2}(\alpha^2 - x^2) \qquad b^2\beta^2 x^2 = a^2\alpha^2 \frac{b^2}{a^2}(x^2 - a^2)$$

$$b^2 x^2 = a^2(\alpha^2 - x^2) \qquad \beta^2 x^2 = \alpha^2(x^2 - a^2)$$

$$(a^2 + b^2)\,x^2 = a^2\alpha^2 \qquad (\alpha^2 - \beta^2)\,x^2 = a^2\alpha^2$$

Wegen $a^2 + b^2 = e^2$ und $\alpha^2 - \beta^2 = \varepsilon^2$ ist $e = \varepsilon$.

„Konfokale" Ellipsen und Hyperbeln schneiden sich rechtwinklig.

Als Schnittpunkt (im I. Quadr.) findet man $x_1 = \frac{a\alpha}{e}$, $y_1 = \frac{b\beta}{e}$.

Man zeichne die Aufgabe für $\alpha^2 = 64$, $\beta^2 = 16$, $a^2 = 25$, $b^2 = 23$.
$P_1\,(5{,}77\,;\ 2{,}77)$

88. In welchen Punkten P_1 und P_2 schneidet die Ellipse $b^2x^2 + a^2y^2 = a^2b^2$ die Hyperbel $x \cdot y = c^2$? Man ziehe in den beiden Schnittpunkten des ersten Quadranten die Tangenten und zeige, daß ihre Schnittpunkte T_1 und T_2 auf einer Nullpunktsgeraden liegen! Welche Figur bilden die vier Tangenten und wie groß ist ihre Fläche?

Zahlenbeispiel: $a^2 = 125$; $b^2 = 80$; $c^2 = 40$.

$$\left.\begin{array}{ll} \text{Ellipse:} & 16x^2 + 25y^2 = 2000 \\ \text{Hyperbel:} & x \cdot y = 40 \end{array}\right\} \quad P_1\,(10\,;\ 4)\,, \quad P_2\,(5\,;\ 8)$$

* Der Index 1 des Berührpunktes ist weggelassen.

$$\left.\begin{array}{lll}\text{Ell.-Tg.} & t_1: & 8x + 5y = 100 \\ & t_2: & 2x + 5y = 50\end{array}\right\} T_1\left(\tfrac{25}{3};\ \tfrac{20}{3}\right)$$

$$\left.\begin{array}{lll}\text{Hyp.-Tg.} & t_3: & 2x + 5y = 40 \\ & t_4: & 8x + 5y = 80\end{array}\right\} T_2\left(\tfrac{20}{3};\ \tfrac{16}{3}\right)$$

Aus $t_1 \parallel t_4$ und $t_2 \parallel t_3$ folgt, daß das Viereck aus den vier Tangenten ein Parallelogramm ist.

Für T_1 und T_2 ist das Verhältnis $\dfrac{y}{x} = \dfrac{4}{5}$, also ist T_1T_2 eine Nullpunktsgerade.

Das Parallelogramm hat die Fläche $F = \frac{20}{3}$

Zur *Probe:* $\left.\begin{array}{l}\text{Stgg. von } t_1 \text{ ist } -1{,}6 \\ \text{Stgg. von } t_2 \text{ ist } -0{,}4\end{array}\right\} \tan\varphi = \frac{30}{41}$

$t_1 = \frac{1}{3}\sqrt{89}$; $t_2 = \frac{2}{3}\sqrt{29}$; $\sin\varphi = \dfrac{30}{\sqrt{2581}} = \dfrac{30}{\sqrt{89 \cdot 29}}$

$F = t_1 t_2 \sin\varphi = \frac{20}{3}$

Allgemeine Lösung:

Abkürzungen: $\sqrt{a^2b^2 - 4c^4} \equiv k^2$; $\dfrac{ab}{2} \equiv h^2$;

$$\sqrt{ab + k^2} \equiv p;\quad \sqrt{ab - k^2} \equiv m;\quad p - m \equiv d$$

$$P_1\left(\frac{hp}{b};\ \frac{hm}{a}\right);\ P_2\left(\frac{hm}{b};\ \frac{hp}{a}\right);\ T_1\left(\frac{adh}{k^2};\ \frac{bdh}{k^2}\right);\ T_2\left(\frac{adc^2}{hk^2};\ \frac{bdc^2}{hk^2}\right)$$

$$F = \sqrt{\frac{(ab - 2c^2)^3}{ab + 2c^2}}$$

89. Untersuchung der Interferenzkurven (Abb. 136).

Wirft man zwei Steine an den Stellen *A* und *B* in einen See, so sind *A* und *B* die Ausgangspunkte zweier Wellensysteme (Kreise um *A* und *B*), die sich durchkreuzen und die eigenartige Kräuselung der Wasseroberfläche hervorrufen: Wellenberg + Wellenberg (ausgezogene Linien) addieren sich zu einem hohen Wellenberg; Wellental + Wellental (gestrichelte Linien) addieren sich zu einem tiefen Tal.

Die hohen Berge und tiefen Täler sind durch Punkte markiert. Dagegen heben sich Berg + Tal auf, so daß an den betreffenden Stellen die Wasseroberfläche in Ruhe bleibt.

Diese Verstärkung bzw. Auslöschung von Wellen wird als Interferenz bezeichnet. Näheres siehe Physik-Repetitorium.

Betrachten wir die Gesamtheit der markierten Punkte, so fällt auf, daß sie einerseits eine Schar von Hyperbeln, andrerseits eine Schar von Ellipsen bilden, wobei sich die Hyperbeln und Ellipsen offenbar rechtwinklig schneiden. (Auch die dazwischen liegenden „Ruhepunkte" fügen sich in die Schar der Hyperbeln und Ellipsen ein; sie sind der Übersichtlichkeit wegen nicht gezeichnet.)

Wir wollen beweisen, daß die Interferenzpunkte zweier Wellensysteme auf sich rechtwinklig schneidenden Hyperbeln (P_1 und P_2) und Ellipsen (P_1 und P_3) liegen.

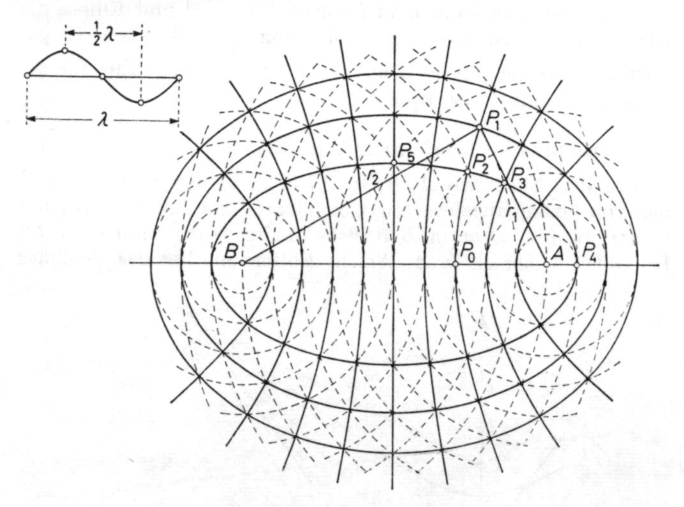

Abb. 136. Interferenzkurven

Wir betrachten die Wellenzentren A und B als die Brennpunkte der Hyperbeln und Ellipsen. Die Radien der eingezeichneten Kreise unterscheiden sich jeweils um eine halbe Wellenlänge ($\frac{1}{2}\lambda$), wie die Nebenfigur zeigt.

Punkte	P_1	P_2	P_3
Brennstrahlen	$AP_1 = r_1$ $BP_1 = r_2$	$AP_2 = r_1 - \frac{\lambda}{2}$ $BP_2 = r_2 - \frac{\lambda}{2}$	$AP_3 = r_1 - \lambda$ $BP_3 = r_2$
Differenz	$BP_1 - AP_1 =$ $= r_2 - r_1$	$BP_2 - AP_2 =$ $= r_2 - r_1$	–
Summe	–	$BP_2 + AP_2 =$ $= r_2 + r_1 - \lambda$	$BP_3 + AP_3 =$ $= r_2 + r_1 - \lambda$

Für P_1 und P_2 ist die Differenz der Abstände von A und B konstant, also liegen die beiden Punkte auf einer *Hyperbel*.
Für P_1 und P_3 ist die Summe der Abstände von A und B konstant, also liegen diese beiden Punkte auf einer *Ellipse*.

Dieselbe Betrachtung können wir für beliebige „Nachbarpunkte" anstellen. Die Orthogonalität der Hyperbel- und Ellipsenschar folgt aus den Darlegungen der Aufgabe 87.
Selbstverständlich kann man für jede Hyperbel und Ellipse die Gleichung aufstellen. In der Abbildung ist $AB = 2e = 10$ gezeichnet. Für die Ellipse E mit $a = 7$ ist $b = \sqrt{24} = 4{,}9$; für die Hyperbel H mit $a = 4$ ist $b = 3$.

90. Das Schallmeßverfahren (Abb. 137).
In den drei Stationen A (0; 0); B (3,2; 0) und C (0; 4) wird der von einem abgefeuerten Geschütz G ankommende Donner registriert, und zwar in B 5,76 Sekunden früher und in C 7,2 Sekunden früher als in A. Welche Entfernung hat das Geschütz

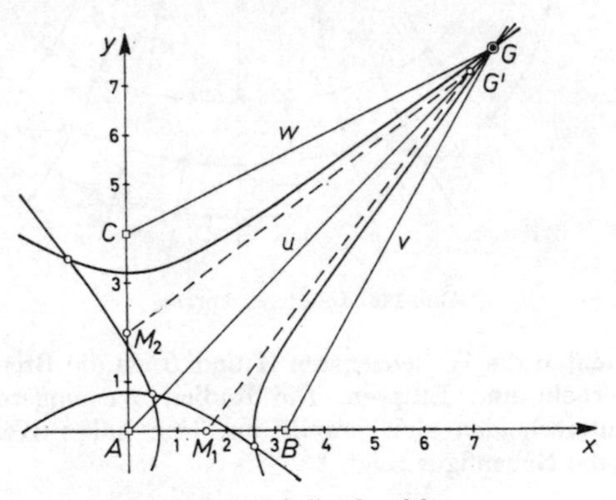

Abb. 137. Schallmeßverfahren

von den drei Beobachtungsstationen?* (Die Koordinaten sind in km angegeben. Die Schallgeschwindigkeit werde zu $\frac{1}{3}$ km/s angenommen).

Es sei $AG = u$, $BG = v$, $CG = w$

$$u - v = \tfrac{1}{3} \cdot 5{,}76 = 1{,}92 \text{ km}$$
$$u - w = \tfrac{1}{3} \cdot 7{,}2 = 2{,}4 \text{ km}$$

Dann ist $AB = 2e_1 = 3{,}2$ und $AC = 2e_2 = 4$

$$2a_1 = u - v = 1{,}92 \qquad 2a_2 = u - w = 2{,}4$$

Bei konstanter Strecke $AB = 2e_1$ ist die Differenz der Abstände von G konstant ($= 2a_1$); G liegt also auf einer Hyperbel mit dem

* Vergl. hierzu auch MR 14 (Trigonometrie II), § 56.

Brennpunktsabstand $2e_1$ und der Achse $2a_1 = 1{,}92$. Aus $e_1 = 1{,}6$ und $a_1 = 0{,}96$ wird $b_1 = 1{,}28$. Da der Mittelpunkt der Hyperbel die Koordinaten $M_1\,(1{,}6\,;\,0)$ hat, so lautet die Gleichung dieser Hyperbel

$$\frac{(x-1{,}6)^2}{0{,}96^2} - \frac{y^2}{1{,}28^2} = 1$$

Bei konstanter Strecke $AC = 2e_2$ ist die Differenz der Abstände von G konstant $(= 2a_2)$; G liegt also auf einer Hyperbel mit dem Brennpunktsabstand $2e_2 = 4$ und der Achse $2a_2 = 2{,}4$; hieraus $b_2 = 1{,}6$. Wegen $M_2\,(0\,;\,2)$ heißt die zweite Hyperbel

$$-\frac{x^2}{1{,}6^2} + \frac{(y-2)^2}{1{,}2^2} = 1$$

Aus den beiden Gleichungen kann man die Koordinaten des Geschützes berechnen und erhält dann mit der Entfernungsformel (2.1*) die gesuchten Entfernungen u, v und w.

Die Berechnung ergibt eine Gleichung 4. Grades

$$x^4 - 9{,}36x^3 + 11{,}66x^2 + 19{,}47x - 11{,}275 = 0$$

mit den Lösungen $x = 7{,}48\,;\quad 0{,}49\,;\quad 2{,}58\,;\quad -1{,}19\,;$
dazu $y = 7{,}73\,;\quad 0{,}75\,;\quad -0{,}29\,;\quad 3{,}50\,.$

Von diesen Schnittpunkten genügt nur der Punkt $G\,(7{,}48\,;\,7{,}73)$ den Bedingungen der Aufgabe, wovon man sich durch Rechnung oder auch an Hand der Zeichnung leicht überzeugen kann. Als Entfernungen findet man:

$$u = 10{,}76\ \text{km}\,;\quad v = 8{,}84\ \text{km}\,;\quad w = 8{,}36\ \text{km}$$

Probe: $u - v \equiv 1{,}92\,;\quad u - w \equiv 2{,}4\,.$

Konstruktion: Man bringt die beiden Hyperbeln zum Schnitt und liest die gesuchten Entfernungen ab.

Näherungsverfahren: Bei relativ großen Geschützentfernungen genügt es, statt der Hyperbeln ihre Asymptoten zum Schnitt zu bringen. Aus

$$y = \tfrac{4}{3}(x - 1{,}6) \quad\text{und}\quad y = \tfrac{3}{4}x + 2$$

erhält man $x_{G'} = 7{,}086$ und $y_{G'} = 7{,}314$, daraus

$$u' = 10{,}184\ \text{km},\quad v' = 8{,}245\ \text{km},\quad w' = 7{,}823\ \text{km}.$$

91. Zwei Fabriken F_1 und F_2, die in der Entfernung $2e$ (in 100 km gemessen) liegen, fertigen Güter gleicher Qualität. Die Stückpreise ab Werk sind w_1 und w_2 [DM]. Ein Ort P hat von F_1 und F_2 die Entfernungen s_1 und s_2 (in 100 km gemessen). Die Frachtkosten, die proportional der Entfernung sind, betragen f_1 und f_2 je Stück und je 100 km. Daraus ergeben sich für den Ort P die Ortspreise

$$p_1 = w_1 + f_1 s_1 \quad\text{bzw.}\quad p_2 = w_2 + f_2 s_2$$

* aus MR 26.

Je nachdem ob $p_1 \lesseqgtr p_2$ ist, werden die Käufer des Ortes P von dem Werk F_1 oder von dem Werk F_2 beziehen. Das gesamte Wirtschaftsgebiet wird also in zwei Absatzgebiete A_1 und A_2 aufgeteilt, deren Grenze durch die Bedingung $p_1 = p_2$ bestimmt wird*.

Wir betrachten zwei Fälle:

(1) $w_1 < w_2$ **bei gleichen Frachtsätzen** ($f_1 = f_2$, kurz f).
Es sei $w_1 = 60$ DM, $w_2 = 65$ DM, $f = 10$ DM, ferner $2e = 2$.
Aus $p_1 = p_2$, also $w_1 + fs_1 = w_2 + fs_2$ folgt

$$f(s_1 - s_2) = w_2 - w_1 \quad \text{oder} \quad s_1 - s_2 = \frac{w_2 - w_1}{f} \quad (= \tfrac{1}{2})$$

Bei gegebenem Abstand $F_1F_2 = 2e$ $(= 2)$ ist die Differenz der Entfernungen $s_1 - s_2$ konstant; daher werden die beiden Absatzgebiete durch eine *Hyperbel* abgegrenzt mit der Achse

$$a = \frac{s_1 - s_2}{2} \left(= \frac{1}{4}\right) \quad \text{und der Achse} \quad b = \sqrt{e^2 - a^2}\ (= 0{,}97).$$

Da $s_1 > s_2$, so ist der rechte Hyperbelast die Grenze.

Gleichung der Hyperbel $\quad x^2 - \dfrac{y^2}{15} = \dfrac{1}{16}$

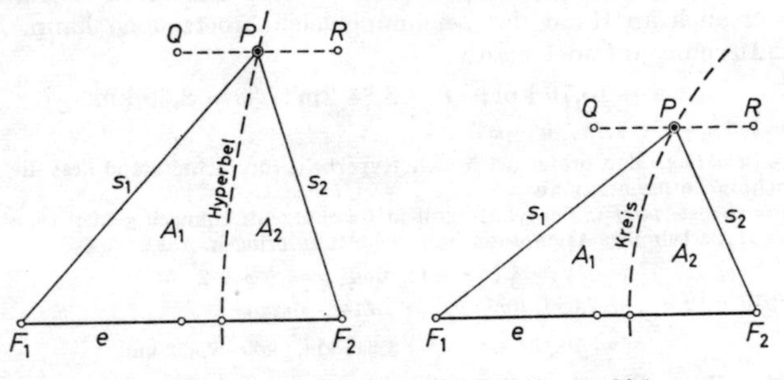

Abb. 138. Abgrenzung wirtschaftlicher Absatzgebiete

Hat P die Koordinaten (0,5; 1,677), so ist $s_1 = 2{,}25$, $s_2 = 1{,}75$

also $\qquad p_1 = 60 + 22{,}50 = 82{,}50$ DM

ebenso $\qquad p_2 = 65 + 17{,}50 = 82{,}50$ DM

Zum Vergleich für zwei Punkte Q in A_1 und R in A_2:
Für Q ($s_1 = s_2 = 1{,}953$) ist $p_1 = 79{,}53 < p_2 = 84{,}53$
für R ($s_1 = 2{,}610$; $s_2 = 1{,}677$) ist $p_1 = 86{,}10 > p_2 = 81{,}77$

* Nach einem Aufsatz von W. Tewes in MNU 1961, Heft 7.

(2) $f_1 < f_2$ bei gleichen Fabrikpreisen ($w_1 = w_2$, kurz w).
Es sei $f_1 = 8$ DM; $f_2 = 12$ DM; $w = 50$ DM, ferner $2e = 2$.
Aus $p_1 = p_2$, also $w + f_1 s_1 = w + f_2 s_2$ folgt

$$f_1 s_1 = f_2 s_2 \quad \text{oder} \quad \frac{s_1}{s_2} = \frac{f_2}{f_1} = \lambda \ (= 1{,}5)$$

Bei gegebenem Abstand $F_1F_2 = 2e$ (= 2) ist das Verhältnis der Entfernungen $\frac{s_1}{s_2}$ konstant; daher werden die beiden Gebiete durch den APOLLONIUS-Kreis abgegrenzt. Sein Mittelpunkt hat die Koordinaten $M\left(\frac{\lambda^2 + 1}{\lambda^2 - 1} e;\ 0\right)$, sein Radius ist $r = \frac{2\lambda}{\lambda^2 - 1} e$.

Gleichung des Kreises $(x - 2{,}6)^2 + y^2 = 2{,}4^2$

Hat P die Koordinaten (0,5; 1,162), so ist

$$s_1 = 1{,}897, \quad s_2 = 1{,}265$$

also $p_1 = 50 + 8 \cdot 1{,}897 = 65{,}18$ DM

ebenso $p_2 = 50 + 12 \cdot 1{,}265 = 65{,}18$ DM

Zum Vergleich für zwei Punkte Q in A_1 und R in A_2:
Für Q ($s_1 = s_2 = 1{,}533$) ist $p_1 = 62{,}26 < p_2 = 68{,}40$
Für R ($s_1 = 2{,}313$, $s_2 = 1{,}162$) ist $p_1 = 68{,}50 > p_2 = 63{,}94$

§ 66 Ortsaufgaben

92. Auf dem rechten Ast einer gleichseitigen Hyperbel mit den Scheiteln $A(a; 0)$ und $B(-a; 0)$ bewegt sich ein Punkt $C(u; v)$; durch ihn sind die Punkte D $(0; v)$ und E $(2u; v)$ bestimmt. Man gebe den Ort des Schnittpunktes $P = AD \times BE$ an (Abb. 139)

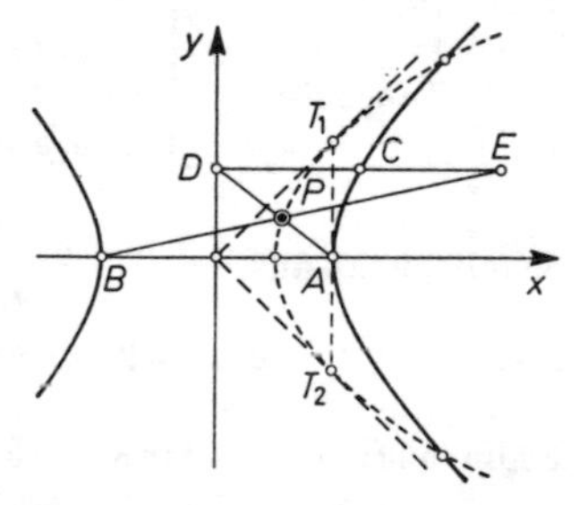

Abb. 139. Ort von P bei wanderndem Hyperbelpunkt C

$$\left.\begin{aligned} AD:&\quad y = -\frac{v}{a}x + v = \frac{v(a - x)}{a} \\ BE:&\quad y = \frac{v}{2u + a}(x + a) \end{aligned}\right\} \quad u = \frac{ax}{a - x}, \quad v = \frac{ay}{a - x}$$

Wegen $u^2 - v^2 = a^2$ kommt $x^2 - y^2 = (a - x)^2$ oder

$$y^2 = 2ax - a^2$$

Die Ortslinie ist eine Parabel mit dem Brennpunkt A.

Eine Merkwürdigkeit: In den Punkten $T_{1,2}$ $(a; \pm a)$ berühren die Hyperbelasymptoten die Ortsparabel. Warum?

93. Die Tangenten in zwei Punkten P_1 und P_2 der Parabel $y^2 = 2px$ bilden den konstanten Winkel $\alpha = 60°$. Welchen Ort beschreibt der Tangentenschnittpunkt P_0? (Abb. 140)

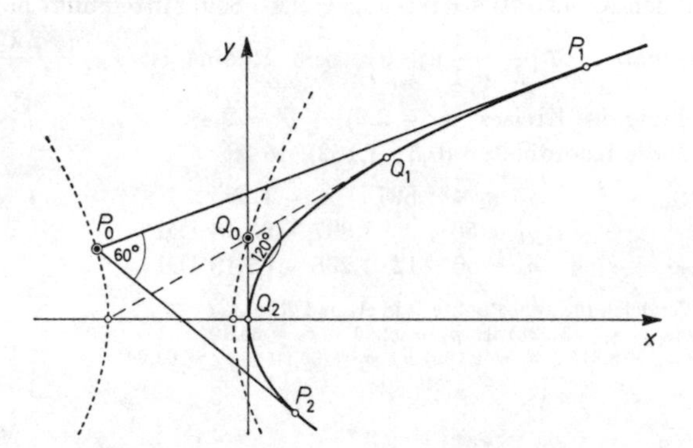

Abb. 140. Ort von P_0 bei konstantem Tangentenwinkel

$$\text{Tangenten} \begin{cases} y_1 y = p(x + x_1) & \text{mit } m_1 = \dfrac{p}{y_1} \\ y_2 y = p(x + x_2) & \text{mit } m_2 = \dfrac{p}{y_2} \end{cases}$$

Schnittpunkt aus $\dfrac{x + x_1}{y_1} = \dfrac{x + x_2}{y_2}$, daraus $x = \dfrac{y_1 y_2}{2p}$, $y = \dfrac{y_1 + y_2}{2}$

oder $\quad y_1 y_2 = 2px \quad$ und $\quad y_1 + y_2 = 2y \qquad$ (I)

Bedingung: $\quad \tan\alpha = \sqrt{3} = \dfrac{p(y_1 - y_2)}{p^2 + y_1 y_2} \qquad$ (II)

Wir berechnen y_1 und y_2 aus (I) und setzen die Werte in (II) ein:

$$y_{1,2} = y \pm \sqrt{y^2 - 2px}, \quad \text{daraus} \quad y_1 - y_2 = 2\sqrt{y^2 - 2px}$$

also $\quad \sqrt{3}(p^2 + 2px) = 2p\sqrt{y^2 - 2px} \qquad$ (III)

daraus $\quad x^2 + \frac{5}{3}px - \frac{1}{3}y^2 + \frac{1}{4}p^2 = 0$

oder $$\frac{(x+\frac{5}{6}p)^2}{\frac{4}{9}p^2} - \frac{y^2}{\frac{4}{3}p^2} = 1$$

und für $p = 6$: $$\frac{(x+5)^2}{16} - \frac{y^2}{48} = 1$$

Der Pol P_0 bewegt sich auf einer Hyperbel. Wandert er auf dem linken Ast, so ist $\alpha = 60°$ (spitz); wandert er auf dem rechten Ast, so bilden die beiden Tangenten den stumpfen Supplementwinkel (120°)*.

Anmerkungen. (1) Für einen gegebenen Winkel α mit $\tan\alpha = t$ lautet die Gleichung der Hyperbel

$$b^2(x+u)^2 - a^2y^2 = a^2b^2$$

worin $$u = \frac{t^2+2}{t^2}\cdot\frac{p}{2}; \quad a^2 = \frac{t^2+1}{t^4}\cdot p^2; \quad b^2 = \frac{t^2+1}{t^2}\cdot p^2$$

(2) Für $\alpha = 45°$, also $t = 1$ ergibt sich die gleichseitige Hyperbel

$$(x+\tfrac{3}{2}p)^2 - y^2 = 2p^2$$

94. Ein Kreis mit veränderlichem Mittelpunkt M $(0; h)$ und veränderlichem Radius r schneidet auf der x-Achse die konstante Sehne $2a$ aus. Welchen Ort beschreibt der Endpunkt P des zur x-Achse parallelen Kreisdurchmessers? (Abb. 141).

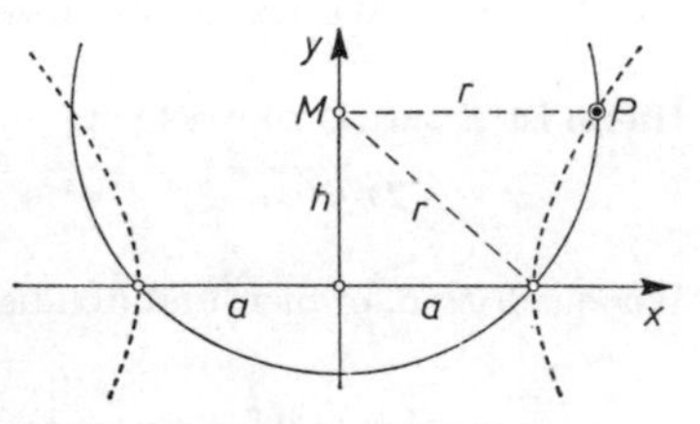

Abb. 141. Ort von P bei konstanter Kreissehne

Aus $r^2 = h^2 + a^2$ erhält man wegen $x = a$ und $y = h$:

$$x^2 - y^2 = a^2 \quad \text{(gleichseitige Hyperbel)}$$

95. Ein veränderlicher Kreis geht durch den festen Punkt $A\ (a; 0)$ und berührt den festen Kreis $x^2 + y^2 = r^2$ von außen (in B) bzw. von innen. Man bestimme die Ortskurve seines Mittelpunktes P! (Abb. 142).

veränderl. Kreis:	$(x-\xi)^2 + (y-\eta)^2 = R^2$		
für A ist:	$(a-\xi)^2 + \eta^2 = R^2$	+	(I)
PYTHAGORAS:	$\xi^2 + \eta^2 = (R+r)^2$	−	
	$a^2 - 2a\xi + r^2 + 2rR = 0$		

* Es ist gleichgültig, ob in (III) $\tan\alpha = \pm\sqrt{3}$ eingesetzt wird; vgl. die Punkte Q_1, Q_2, Q_0.

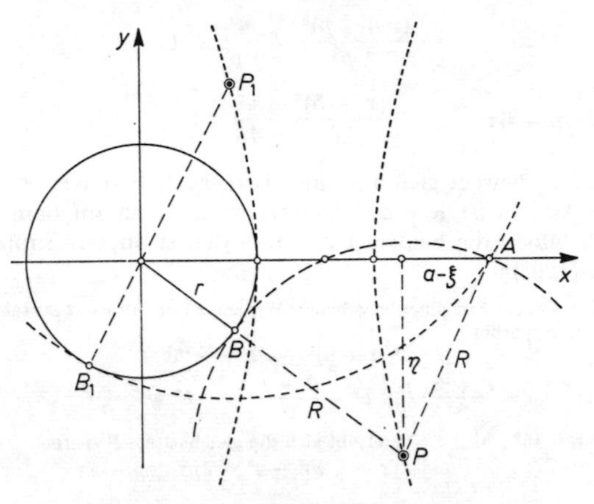

Abb. 142. Ort des Kreismittelpunktes P

Hierin ist R aus (I) zu ersetzen:

$$2r\sqrt{(a-\xi)^2+\eta^2} = 2a\xi - (a^2+r^2)$$

Wir quadrieren, ordnen und dividieren durch $\frac{a^2-r^2}{4}$:

$$\xi^2 - a\xi - \frac{r^2}{a^2-r^2}\eta^2 + \frac{a^2-r^2}{4} = 0$$

oder

$$\frac{\left(\xi-\frac{a}{2}\right)^2}{\frac{r^2}{4}} - \frac{\eta^2}{\frac{a^2-r^2}{4}} = 1$$

Für $a = 6$ und $r = 2$ heißt die Hyperbel $8(\xi-3)^2 - \eta^2 = 8$.
Für den linken Ast liegt innere, für den rechten Ast äußere Berührung vor.

96. Gesucht ist der Ort der Mittelpunkte P derjenigen Kreise (Radius r), die die beiden Kreise

$x^2+y^2-6x = 27$ und $x^2+y^2+6x = 7$ berühren (Abb. 143).

Kreise: $(x-3)^2+y^2 = 36$ und $(x+3)^2+y^2 = 16$

Aus $y^2 = (4+r)^2-(x-3)^2 = (6+r)^2-(x+3)^2$

wird $r = 3x-5$

also $4+r = 3x-1$

daher $y^2 = (3x-1)^2-(x-3)^2 = 8x^2-8$

oder $8x^2-y^2 = 8$

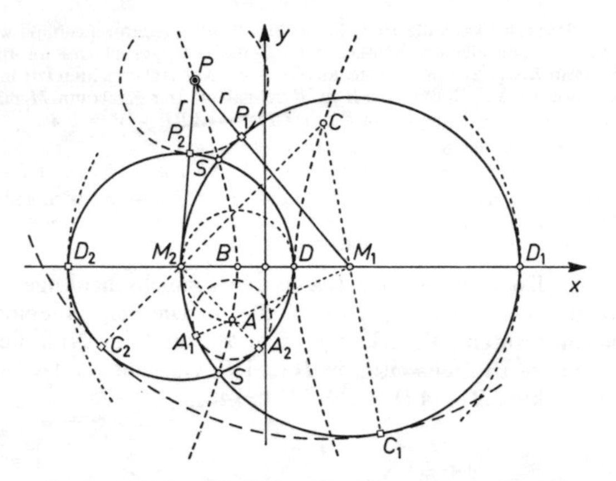

Abb. 143. Ort von P des Kreises, der zwei Kreise berührt

Die Ortskurve ist eine Hyperbel mit den Achsen 1 und $2\sqrt{2}$.

Wie man sich leicht überzeugen kann, läuft die Hyperbel durch die Schnittpunkte der beiden Kreise $S\left(-\frac{5}{3}\,;\ \pm\frac{8}{3}\sqrt{2}\right)$.

Anmerkung. Für die Punkte auf dem rechten Hyperbelast als Mittelpunkte des beweglichen Kreises umschließt dieser Kreis die gegebenen Kreise, während für die Punkte auf dem linken Hyperbelast der bewegliche Kreis die festen Kreise von außen oder von innen berührt, je nachdem die Mittelpunkte außerhalb oder innerhalb der den Festkreisen gemeinsamen Fläche liegen.

97. In einem Dreieck mit fester Grundlinie $AB = 3c$ ist stets $\alpha = 2\beta$. Welche Kurve beschreibt die dritte Ecke P?
Es sei $A\,(-2c;\ 0)$, $B\,(c;\ 0)$ (Abb. 144).

$$\tan\beta = \frac{y}{x+c}$$

$$\tan 2\beta = \frac{y}{2c-x} =$$

$$= \frac{\frac{2y}{x+c}}{1-\frac{y^2}{(x+c)^2}} = \frac{2y\,(x+c)}{(x+c)^2-y^2}$$

daraus $(x+c)^2 - y^2 =$

$$= 2\,(x+c)\,(2c-x)$$

oder $$\frac{x^2}{c^2} - \frac{y^2}{3c^2} = 1$$

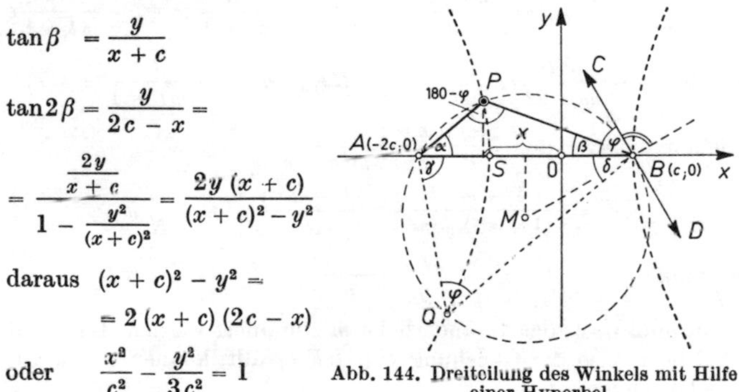

Abb. 144. Dreiteilung des Winkels mit Hilfe einer Hyperbel

Mit dieser Hyperbel kann die *Dreiteilung eines Winkels* (φ) durchgeführt werden. Wir tragen den zu teilenden Winkel $\sphericalangle SBC$ an die Hyperbelachse an und verlängern dann $BS = 2c$ um die Strecke $SA = c$. Auf BC errichten wir in B das Lot, welches das Mittellot von AB in M schneidet. Der Kreis um M mit $MA = MB$ schneidet die Hyperbel in P; dann ist $\sphericalangle ABP = \beta = \frac{1}{3}\varphi$.

Begründung. Nach der Konstruktion ist $\sphericalangle APB = 180° - \varphi$,
also $180° - \varphi + \alpha + \beta = 180°$ oder $\varphi = \alpha + \beta = 2\beta + \beta = 3\beta$, daher $\beta = \frac{1}{3}\varphi$.

Auch der Nebenwinkel von φ, nämlich $\sphericalangle SBD = 180° - \varphi$, wird gedrittelt: Der Kreis schneidet die Hyperbel in Q; $\sphericalangle AQB = \varphi$; $\varphi + \gamma + \delta = 180°$, also $\gamma + \delta = 3\delta = 180° - \varphi$, daher $\delta = \frac{1}{3}(180° - \varphi)$.

98. Die Koordinaten der Ecken eines gleichschenkligen Dreiecks sind $A(-c;\,0)$; $B(c;\,0)$; $C(0;\,h)$. Die Schenkel eines beweglichen rechten Winkels mit dem Scheitel im Nullpunkt O schneiden die Dreiecksseiten in D und E. Gesucht ist der Ort des Schnittpunktes $P = AD \times BE$ (Abb. 145).

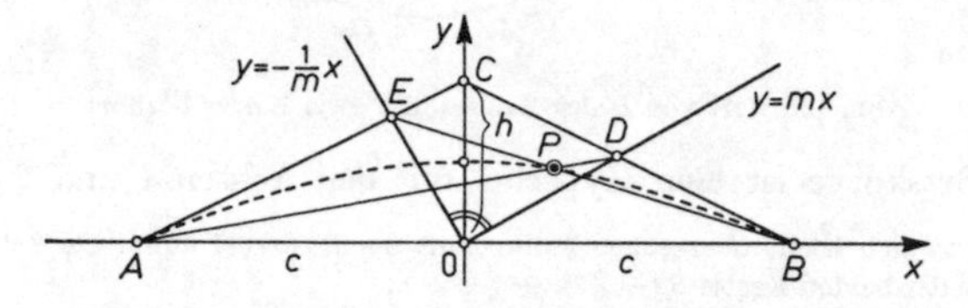

Abb. 145. Ein rechter Winkel dreht sich um den Nullpunkt

Der Basiswinkel sei α; $\tan\alpha = t$ gesetzt; dann ist $h = t \cdot c$

$$OD:\quad y = mx \qquad\qquad OE:\quad y = -\frac{1}{m}x$$

$$BC:\quad y = -tx + h \qquad\qquad AC:\quad y = tx + h$$

$$x_D = \frac{t}{m+t}c;\; y_D = \frac{mt}{m+t}c \qquad\qquad x_E = -\frac{mt}{mt+1}c;\; y_E = \frac{t}{mt+1}c$$

$$AD:\quad y = \frac{mt}{m+2t}(x+c) \qquad\qquad BE:\quad y = -\frac{t}{2mt+1}(x-c)$$

Schnittpunkt P aus $\quad \dfrac{c+x}{c-x} = \dfrac{m+2t}{2m^2t+m}$:

$$x = \frac{1-m^2}{t(1+m^2)+m}h \equiv \frac{1-m^2}{N}h;\quad y = \frac{m}{N}h$$

daraus
$$\frac{x}{y} = \frac{1-m^2}{m}$$

Nun muß noch das veränderliche m eliminiert werden. Da P auf BE liegt, also die Gleichung von BE erfüllt, können wir m aus ihr berechnen:

$$m = \frac{t(c-x)-y}{2ty} \equiv \frac{Z}{2ty}$$

also $1 - m^2 = \dfrac{4t^2y^2 - Z^2}{4t^2y^2}$

Nun wird $\dfrac{x}{y} = \dfrac{4t^2y^2 - Z^2}{2tyZ}$ oder $2txZ = 4t^2y^2 - Z^2$

daraus $t^2x^2 + \underbrace{(4t^2-1)}_{k}y^2 + 2tcy = t^2c^2 = h^2$

$$t^2x^2 + k\left(y + \frac{h}{k}\right)^2 = h^2 + \frac{h^2}{k} = \frac{h^2}{k}(1+k) = \frac{4t^2h^2}{k} \qquad \text{(I)}$$

oder
$$\frac{x^2}{\frac{4h^2}{k}} + \frac{\left(y + \frac{h}{k}\right)^2}{\frac{4t^2h^2}{k^2}} = 1$$

Die Ortslinie ist ein *Kegelschnitt* mit der Mittelpunktsordinate $y = -\dfrac{h}{k}$ und den Achsen $a = \dfrac{2h}{\sqrt{k}}$ und $b = \dfrac{2th}{k}$, worin $k = 4t^2 - 1$ ist. Sie geht durch die Endpunkte der Basis*.

Für $k \gtreqless 0$, also $t \gtreqless \frac{1}{2}$ liegt eine $\left\{\begin{matrix}\text{Ellipse}\\ \text{Parabel}\\ \text{Hyperbel}\end{matrix}\right\}$ vor.

Zahlenbeispiel.

Kurve	t	α	k	y_M	y_S
Ellipse	0,6	30°58′	+ 0,44	− 1,36c	0,27c
Parabel	0,5	26°34′	0	–	0,25c
Hyperbel	0,4	21°48′	− 0,36	+ 1,11c	0,22c

In Abb. 145 ist die Parabel $y = -\dfrac{1}{4c}x^2 + \dfrac{c}{4}$ gezeichnet.

99. Gegeben sind der Kreis $x^2 + y^2 = r^2$ und der Punkt A $(a;\ 0)$. Ein Punkt P soll vom Kreisumfang und von dem Punkt A den gleichen Abstand ϱ haben. Welchen Ort beschreibt der Punkt P? (Abb. 146)

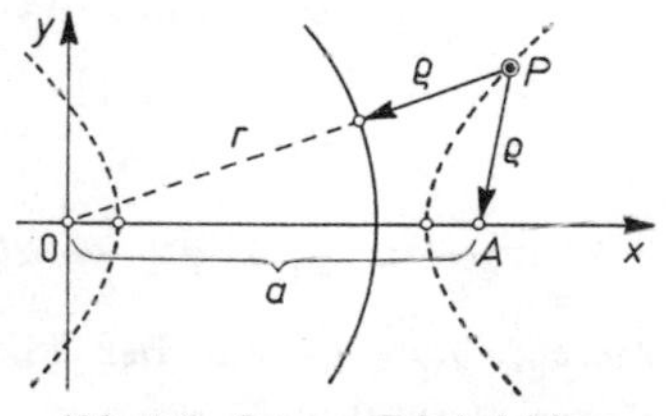

Abb. 146. Ort von P bei gleichen Abständen von Kreis und Punkt A

* Aus (I) erhält man für $y = 0$ die Werte $x = \pm c$.

$$\left.\begin{array}{r} x^2 + y^2 = (r - \varrho)^2 \\ (a - x)^2 + y^2 = \varrho^2 \end{array}\right\} \varrho = \frac{r^2 + a^2 - 2ax}{2r}$$

also
$$r - \varrho = \frac{r^2 - a^2 + 2ax}{2r}$$

oder (mit $r^2 - a^2 \equiv 2d^2$ gesetzt)

$$r - \varrho = \frac{d^2 + ax}{r}$$

Aus $x^2 + y^2 = \frac{(d^2 + ax)^2}{r^2}$ erhält man

$$\frac{\left(x - \frac{a}{2}\right)^2}{\frac{r^2}{4}} + \frac{y^2}{\frac{r^2 - a^2}{4}} = 1$$

Die Ortskurve ist eine Ellipse oder Hyperbel, je nachdem $a < r$ oder $a > r$ ist.

Beispiel: $r = 6$, $a = 4$ bzw. $a = 8$.
Ellipse $\frac{(x-2)^2}{9} + \frac{y^2}{5} = 1$; Hyperbel $\frac{(x-4)^2}{9} - \frac{y^2}{7} = 1$

100. Man wähle auf der gleichseitigen Hyperbel $x \cdot y = 1$ drei beliebige Punkte A, B und C und suche den Ort des Höhenschnittpunktes des Dreiecks ABC (Brianchon-Poncelet, 1820).

Es sei $A\,(a\,;\,\alpha)$, $B\,(b\,;\,\beta)$, $C\,(c\,;\,\gamma)$ mit $a \cdot \alpha = b \cdot \beta = c \cdot \gamma = 1$

Steigung von AB: $\frac{\beta - \alpha}{b - a} = -\frac{1}{ab}$

Steigung von h_c : $+ab$

$$\begin{array}{lrl|c} h_c: & y - \gamma = ab\,(x - c) = & abx - abc & + \\ h_a: & y - \alpha = & bcx - abc & - \end{array}$$

$$\alpha - \gamma = bx\,(a - c) = bx\left(\frac{1}{\alpha} - \frac{1}{\gamma}\right) = -bx\,\frac{\alpha - \gamma}{\alpha\gamma}$$

$$x_H = -\frac{\alpha\gamma}{b} = -\alpha\beta\gamma\left(= -\frac{1}{abc}\right)$$

in h_c eingesetzt: $y_H = \gamma - \frac{1}{c} - abc = -abc$

Aus $x_H \cdot y_H = 1$ folgt: Der Ort des Höhenschnittpunktes ist die Hyperbel selbst.

Beispiel: $A\,(\frac{1}{2}\,;\,2)$, $B\,(4\,;\,\frac{1}{4})$; $C\,(-3\,;\,-\frac{1}{3})$; dann ist $H\,(\frac{1}{6}\,;\,6)$. Zeichne das Beispiel!

VERGLEICHENDE BETRACHTUNGEN

§ 67 Die Entstehung der Kegelschnitte

1. Kegel durch Rotation eines Dreiecks

Wird ein gleichschenkliges Dreieck ABC um seine Höhe CD gedreht, so erzeugen seine Schenkel den Mantel eines geraden Kreiskegels (Abb. 147). Durch die Drehung des dem Dreieck einbeschriebenen Kreises wird eine Kugel erzeugt. Aus $CT = CU$ folgt, daß die von einem Punkt C an die Kugel gelegten Tangenten gleiche Länge haben.

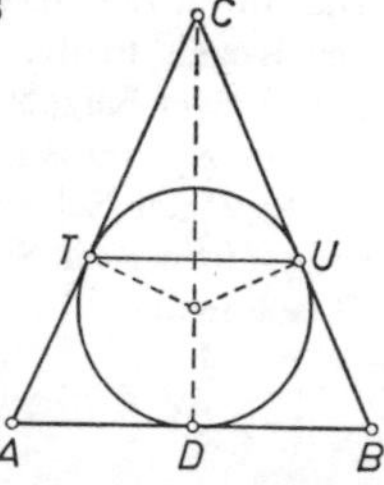

Abb. 147. Kegel durch Rotation eines Dreiecks

2. Mögliche Schnitte durch einen Kegel

Wir legen durch einen geraden Kreiskegel mit dem Böschungswinkel α einen Schnitt, der nicht durch die Spitze S verläuft. Hat die Schnittebene gegen die Waagerechte den Neigungswinkel β, so sind die drei Fälle $\beta \lesseqgtr \alpha$ möglich* (Abb. 148):

a) Der Schnitt AC ($\beta < \alpha$). Da die Schnittebene zu keiner Seitenlinie parallel läuft, so schneidet sie *jede* Seitenlinie; die Schnittfigur ist deshalb eine geschlossene Kurve.

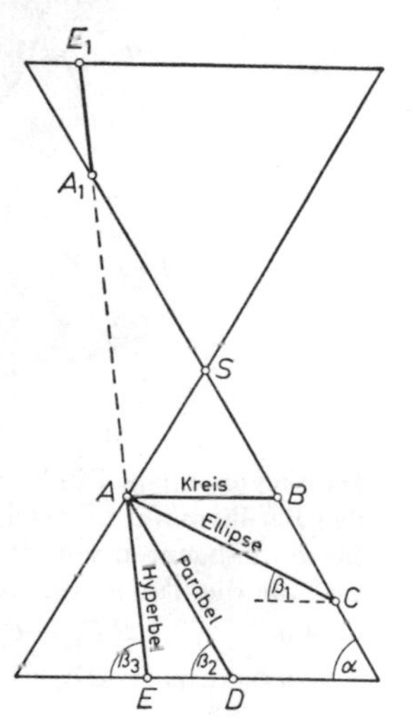

Abb. 148. Schnitte durch einen Kegel (Aufriß)

* Wir sehen von dem trivialen Fall $\beta = 0$ ab; der zur Grundfläche parallele Schnitt (AB) ergibt einen *Kreis*.

b) Der Schnitt AD ($\beta = \alpha$). Die Schnittebene ist der einen Seitenlinie parallel und schneidet sie deshalb nicht; die Schnittfigur erstreckt sich also bis ins Unendliche.

c) Der Schnitt AE ($\beta > \alpha$). ergibt bei einem Doppelkegel zwei getrennte Schnittkurven (AE und A_1E_1), die sich ebenfalls bis ins Unendliche erstrecken.

3. Die Kegelschnitte

1. Fall $\beta > \alpha$ (Abb. 149)

Die durch den Kegel gelegte Schnittebene schneidet den Aufriß des Kegels in den Punkten A_1 und A_2. Wir beschreiben dem Kegel zwei Kugeln ein*, welche die Schnittebene in F_1 von oben und in F_2 von unten berühren. Nun verbinden wir einen Randpunkt P der Schnittfigur mit den Berührpunkten F_1 und F_2 und ziehen ferner die Seitenlinie SP ,welche die Berührkreise in D und D_1 schneidet.

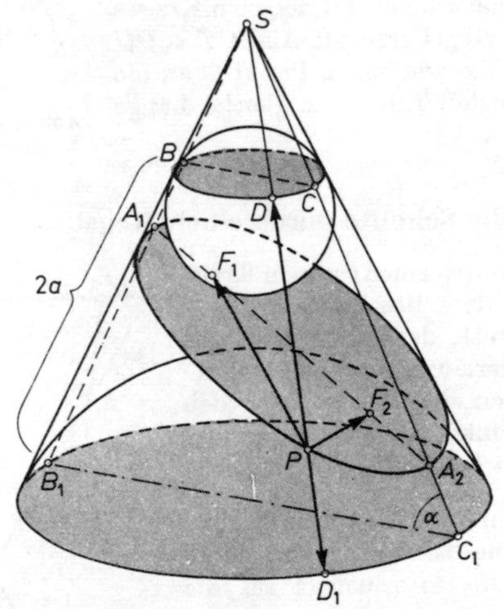

Abb. 149. Die Ellipse als Kegelschnitt

Da die von einem Punkt an eine Kugel gelegten Tangenten bis zu den Berührpunkten gleiche Länge haben, so ist
für die Tangenten von P an die kleine Kugel: $PF_1 = PD$;
und für die Tangenten von P an die große Kugel: $PF_2 = PD_1$;
daraus $$PF_1 + PF_2 = PD + PD_1 = DD_1$$

* Nach DANDELIN (1822); die untere Kugel ist nur bis zur Berührung mit dem Kegel gezeichnet.

Nun ist DD_1 die Seitenlinie des Kegelstumpfes BCC_1B_1 und hat deshalb eine konstante Länge, die wir mit $2a$ bezeichnen wollen:

Aus
$$PF_1 + PF_2 = 2a$$
folgt, daß P von den beiden Punkten F_1 und F_2 eine konstante Abstandssumme besitzt, daß also die Schnittfigur eine *Ellipse* ist.

2. Fall: β = α (Abb. 150)

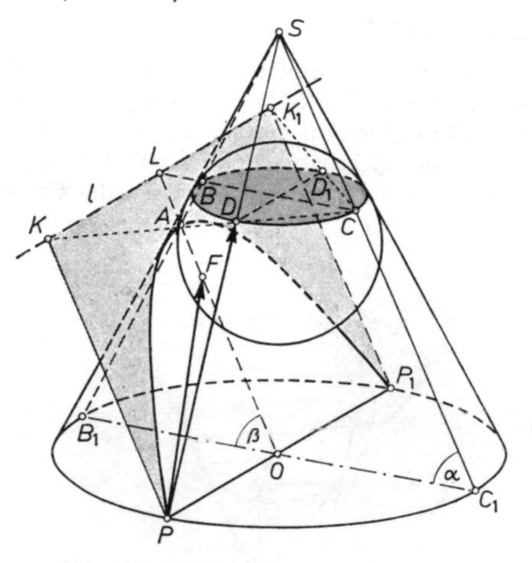

Abb. 150. Die Parabel als Kegelschnitt

Der durch den Kegel parallel zur Seitenlinie CC_1 gelegte Schnitt schneidet den Aufriß des Kegels im Punkt A, während die dem Kegel einbeschriebene Kugel die Schnittebene im Punkt F berührt. Wir verbinden einen Randpunkt P der Schnittfigur mit dem Berührpunkt F und ziehen die Seitenlinie SP, welche den Berührkreis in D schneidet.

Die von P an die Kugel gelegten Tangenten haben gleiche Länge:
$$PF = PD$$
Nun verlängern wir die Ebene des Berührkreises $(CDKK_1D_1C)$ und die Schnittebene (PP_1K_1K); beide Ebenen schneiden sich in der Geraden KK_1.

Nach Konstruktion ist im Viereck PP_1K_1K
$$PK = P_1K_1 \quad \text{und} \quad PK \parallel P_1K_1$$
Das Viereck ist also ein Parallelogramm; daher ist
$$KK_1 \parallel PP_1$$
Da PP_1 auf OL senkrecht steht, so steht auch KK_1 auf OL senk-

recht; das genannte Viereck ist sogar ein Rechteck. Somit ist PK der senkrechte Abstand des Punktes P von der Geraden KK_1.
Nun ist $PK = OL = C_1C = PD = PF$; das bedeutet:
Der Abstand PF des Punktes P der Schnittkurve von einem Punkt P ist gleich seinem Abstand PK von der Geraden KK_1.
Die Schnittfigur ist mithin eine *Parabel.*

3. Fall: $\beta < \alpha$ (Abb. 151)

Wir legen durch einen Doppelkegel einen Schnitt, der den Aufriß in A_1 und A_2 schneidet. Die beiden einbeschriebenen Kugeln berühren die Schnittebene in den Punkten F_1 und F_2. Ein beliebiger Punkt P der Schnittfigur wird mit der Kegelspitze S verbunden und ergibt auf den Berührkreisen die Punkte D_1 und D.

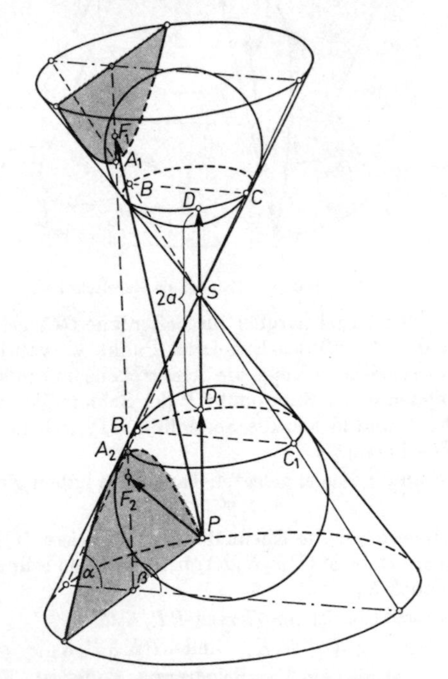

Abb. 151. Die Hyperbel als Kegelschnitt

Tangenten von P an die obere Kugel: $PF_1 = PD$

Tangenten von P an die untere Kugel: $PF_2 = PD_1$

daraus $$PF_1 - PF_2 = PD - PD_1 = 2a$$

Der Punkt P hat von den beiden Punkten F_1 und F_2 eine konstante Abstandsdifferenz; deshalb ist die Schnittfigur eine *Hyperbel.*

§ 68 Scheitelgleichung und Leitlinie der Kegelschnitte

1. Scheitelgleichung

Ein eigenartiger Zusammenhang zwischen den Kegelschnitten zeigt sich, wenn wir die Scheitel von Ellipse, Parabel und Hyperbel in einen Punkt, etwa den Nullpunkt verlegen. Da die Parabel nach rechts geöffnet ist, so verschieben wir den linken Scheitel der Ellipse und den rechten Scheitel der Hyperbel in den Nullpunkt. Dann sind die Mittelpunktskoordinaten

bei der Ellipse $(+a;\ 0)$ bei der Hyperbel $(-a;\ 0)$.

Ellipse: $b^2(x-a)^2 + a^2y^2 = a^2b^2$ oder $b^2x^2 - 2ab^2x + a^2y^2 = 0$

$$y^2 = \frac{2b^2}{a}x - \frac{b^2}{a^2}x^2$$

Hyperbel: $b^2(x+a)^2 - a^2y^2 = a^2b^2$ oder $b^2x^2 + 2ab^2x - a^2y^2 = 0$

$$y^2 = \frac{2b^2}{a}x + \frac{b^2}{a^2}x^2$$

2. Parameter

Die Brennpunktsordinate der Parabel ist p, die der Ellipse und der Hyperbel ist $\frac{b^2}{a}$ (§§ 50 und 59). Wir setzen deshalb $\frac{b^2}{a} = p$, so daß $\frac{b^2}{a^2} = \frac{p}{a}$ ist, und erhalten die folgenden Scheitelgleichungen:

Ellipse: $y^2 = 2px - \frac{p}{a}x^2$

Parabel: $y^2 = 2px$

Hyperbel: $y^2 = 2px + \frac{p}{a}x^2$

gemeinsame Gleichung: $y^2 = 2px + \alpha x^2$

Als Entdecker der Kegelschnitte gilt der Grieche MANÄCHMUS (um 350 v. Chr.). Von APOLLONIUS (250 ··· 200 v. Chr.) stammt ein Lehrbuch über die Kegelschnitte; er hat ihnen auch ihre Namen gegeben: *elleipsein* = fehlen ($\alpha < 0$), *paraballein* = gleichsetzen ($\alpha = 0$), *hyperballein* = übertreffen ($\alpha > 0$).

3. Diskussion

Die Funktion $y^2 = 2px + \alpha x^2$ ist für $\alpha \gtreqless 0$ eine $\left.\vphantom{\begin{matrix}a\\b\\c\end{matrix}}\right\}$ Ellipse / Parabel / Hyperbel

Dies erkennt man aus der folgenden Umformung:

$$\alpha x^2 + 2px - y^2 = 0$$

$$\alpha\left(x + \frac{p}{\alpha}\right)^2 - y^2 = \frac{p^2}{\alpha}$$

$$\frac{\left(x + \frac{p}{\alpha}\right)^2}{\left(\frac{p}{\alpha}\right)^2} - \frac{y^2}{\frac{p^2}{\alpha}} = 1$$

Danach haben die Ellipse und die Hyperbel die Achsen

$$a = \frac{p}{\alpha} \quad \text{und} \quad b = \frac{p}{\sqrt{\alpha}}$$

Für $\alpha = 1$ ist $a = b\ (= p)$. Dann liegt ein *Kreis* bzw. eine *gleichseitige Hyperbel* vor.

4. Die Metamorphose der Kegelschnitte (Abb. 152)

Wählen wir bei konstantem p (in der Abbildung ist $p = 2$) für α alle möglichen Werte, so rollt gewissermaßen ein Film vor uns ab, der uns die Verwandlung der Kegelschnitte zeigt: Der Nullpunkt

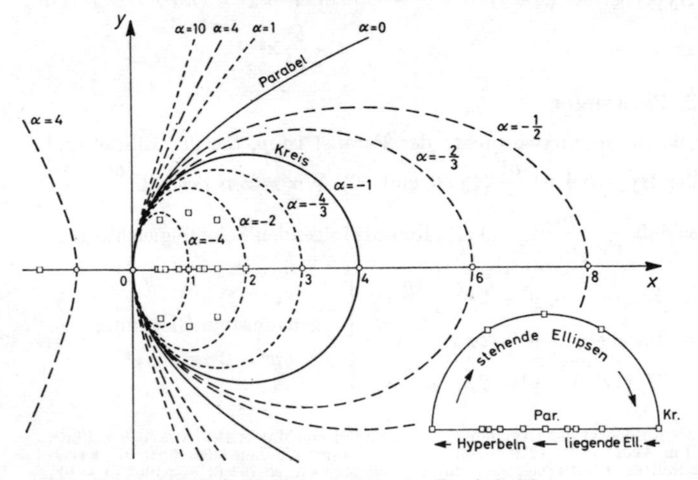

Abb. 152. Die Metamorphose der Kegelschnitte

wächst für $\alpha < 0$ zu „stehenden“ Ellipsen ($b > a$), die sich über den Kreis (Radius p) in „liegende“ Ellipsen ($a > b$) verwandeln.

Diese brechen schließlich für $\alpha = 0$ zu einer Parabel auseinander. Die Parabel geht für $\alpha > 0$ in Hyperbeln mit einem neuen zweiten (linken*) Ast über, wobei mit zunehmendem α die Äste immer steiler werden und immer näher zusammenrücken, um zuletzt in der y-Achse zusammenzufallen.

Alle Kurven haben im Scheitel den *gleichen* Krümmungsradius $\varrho = p$ (vgl. MR 33, § 15).
Interessant ist, das *Wandern der Brennpunkte* zu verfolgen (siehe die Nebenfigur, im doppelten Maßstab gezeichnet): Die Brennpunkte der liegenden Ellipsen und der Hyperbeln liegen auf der x-Achse. Für die stehenden Ellipsen wandern sie auf einem Kreis mit dem Radius $\frac{1}{2}p$ vom Kreismittelpunkt ($\alpha = -1$) bis zum Nullpunkt ($\alpha = -\infty$). Es ist nämlich $x_F = a = \frac{p}{\alpha}$ und $y_F = e$ mit $e^2 = b^2 - a^2 = \frac{p^2}{\alpha^2}(\alpha - 1)$, also $y = \frac{p}{\alpha}\sqrt{\alpha - 1}$. Eliminieren wir α, so erhalten wir als Ortskurve der Brennpunkte der stehenden Ellipsen den Kreis

$$\left(x - \frac{p}{2}\right)^2 + y^2 = \frac{p^2}{4}$$

5. Die Leitlinie der Kegelschnitte

Die folgende Ortsaufgabe enthüllt wiederum den Zusammenhang der Kegelschnitte:

Gegeben ist der Punkt $F\left(\frac{1}{2}p;\ 0\right)$ und die Leitlinie $l\ \left(x = -\frac{1}{2}p\right)$.

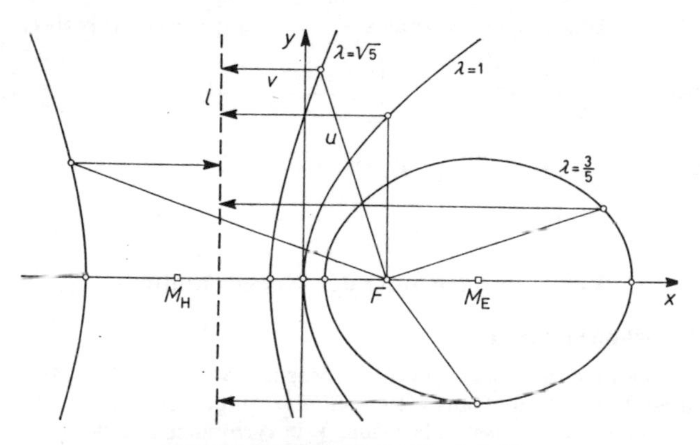

Abb. 153. Die Leitlinie der Kegelschnitte

* Der linke Ast ist nur für $\alpha = 4$ gezeichnet.

Gesucht ist der Ort der Punkte, deren Abstände vom Brennpunkt und von der Leitlinie ein konstantes Verhältnis (λ) haben, also $\frac{u}{v} = \lambda$; (Abb. 153).

$$\left.\begin{aligned} u^2 &= \left(x - \frac{p}{2}\right)^2 + y^2 \\ v &= x + \frac{p}{2} \end{aligned}\right\} \quad \frac{u^2}{v^2} = \frac{(x - \frac{1}{2}p)^2 + y^2}{(x + \frac{1}{2}p)^2} = \lambda^2$$

daraus $$x^2 - px\frac{1 + \lambda^2}{1 - \lambda^2} + \frac{y^2}{1 - \lambda^2} + \frac{p^2}{4} = 0$$

und schließlich durch quadratische Ergänzung:

$$\left[x - \frac{1 + \lambda^2}{1 - \lambda^2} \cdot \frac{p}{2}\right]^2 + \frac{y^2}{1 - \lambda^2} = \left[\frac{p\lambda}{1 - \lambda^2}\right]^2 \text{ falls } \lambda < 1 \text{ (Ellipse)}$$

oder $$\left[x + \frac{\lambda^2 + 1}{\lambda^2 - 1} \cdot \frac{p}{2}\right]^2 - \frac{y^2}{\lambda^2 - 1} = \left[\frac{p\lambda}{\lambda^2 - 1}\right]^2 \text{ falls } \lambda > 1 \text{ (Hyperbel)}$$

Für $\lambda = 1$ ist die Ortskurve eine Parabel (§ 42).

In Abb. 153 sind für $p = 1$ eine Ellipse ($\lambda = \frac{3}{5}$), eine Parabel ($\lambda = 1$) und eine Hyperbel ($\lambda = \sqrt{5}$) gezeichnet.

101. Man zeige, daß das Abstandsverhältnis λ nichts anderes ist als die numerische Exzentrizität $\varepsilon = \frac{e}{a}$ von Ellipse und Hyperbel!

Es ist $$e^2 = a^2 - b^2 = \left[\frac{p\lambda}{1 - \lambda^2}\right]^2 - \frac{p^2\lambda^2}{1 - \lambda^2} = \frac{p^2\lambda^4}{(1 - \lambda^2)^2},$$

also $$e = \frac{p\lambda^2}{1 - \lambda^2}, \quad \text{daher} \quad \varepsilon = \frac{e}{a} = \lambda$$

§ 69 Polargleichung der Kegelschnitte

1. Polarkoordinaten

Die Koordinaten eines Punktes P werden auf den als „Pol" wählten Punkt O und auf eine von ihm in positiver Richtung gezeichnete „Polarachse" x bezogen. Wir verbinden Punkt P mit Pol O. Es sei $OP = r$ und φ der Winkel, den OP mit der Polarachse bildet. Durch r und φ ist die Lage von P bestimmt (Abb. 154):

$$P \begin{cases} x = r \cdot \cos\varphi \\ y = r \cdot \sin\varphi \end{cases}$$

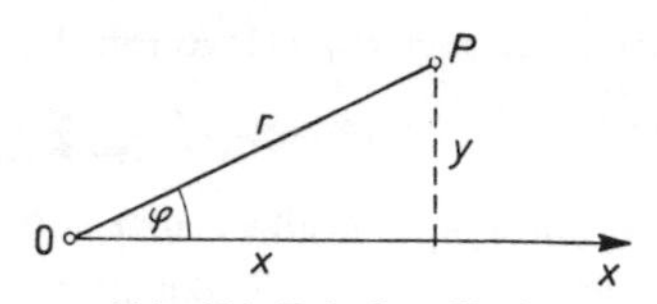

Abb. 154. Polarkoordinaten

2. Die Polargleichung $r = \dfrac{p}{1 - \varepsilon \cdot \cos\varphi}$

Wir wollen untersuchen, welche Kurve durch diese Gleichung bei gegebenem p und ε und veränderlichem φ dargestellt wird.

$$(1) \quad x = \frac{p \cdot \cos\varphi}{1 - \varepsilon \cdot \cos\varphi} \qquad (2) \quad y = \frac{p \cdot \sin\varphi}{1 - \varepsilon \cdot \cos\varphi}$$

Um die Gleichung der Kurve in den üblichen Koordinaten zu erhalten, müssen wir die Veränderliche φ eliminieren. Aus (1) ist

$$x - \varepsilon \cdot x \cdot \cos\varphi = p \cdot \cos\varphi, \quad \text{daraus} \quad \cos\varphi = \frac{x}{p + \varepsilon x}$$

also

$$1 - \varepsilon \cdot \cos\varphi = \frac{p}{p + \varepsilon x}$$

ferner ist $\sin^2\varphi = 1 - \dfrac{x^2}{(p + \varepsilon x)^2} = \dfrac{(p + \varepsilon x)^2 - x^2}{(p + \varepsilon x)^2}$

dieser Ausdruck in (2) eingesetzt ergibt

$$y^2 = \frac{p^2}{\left(\frac{p}{p + \varepsilon x}\right)^2} \cdot \frac{(p + \varepsilon x)^2 - x^2}{(p + \varepsilon x)^2} = (p + \varepsilon x)^2 - x^2 \quad \text{oder}$$

$$\text{(I)} \qquad y^2 = p^2 + 2\varepsilon p x - x^2 (1 - \varepsilon^2)$$

(a) Für $x = 0$ ist $y = \pm p$; die Kurve (bzw. alle Kurven) verläuft durch den Punkt $S(0; \pm p)$.

(b) Für $\varepsilon = 0$ ist $y^2 = p^2 - x^2$ oder $x^2 + y^2 = p^2$. Es liegt ein *Kreis* mit dem Radius p vor*.

Wir schreiben (I) in der Form

$$\text{(II)} \qquad x^2 (1 - \varepsilon^2) - 2\varepsilon p x + y^2 = p^2$$

(c) Für $\varepsilon = 1$ ist $y^2 = p^2 + 2px$ oder $y^2 = 2p(x + \frac{1}{2}p)$; es liegt eine *Parabel* vor mit dem Scheitel $(-\frac{1}{2}p;\ 0)$.

* Dies folgt auch unmittelbar aus der Polargleichung, denn $r = p$ liefert für jedes φ einen Kreis.

Nach Division von (II) durch $1 - \varepsilon^2$ erhalten wir

$$\text{(III)} \qquad x^2 - 2\frac{\varepsilon}{1-\varepsilon^2}px + \frac{y^2}{1-\varepsilon^2} = \frac{p^2}{1-\varepsilon^2}$$

(d) Für $\varepsilon \to \infty$ ergibt sich $x = 0$, das ist die *y-Achse*.

Durch quadratische Ergänzung geht (III) über in

$$\left(x - \frac{\varepsilon}{1-\varepsilon^2}p\right)^2 + \frac{y^2}{1-\varepsilon^2} = \frac{p^2}{1-\varepsilon^2} + \frac{\varepsilon^2 p^2}{(1-\varepsilon^2)^2} = \frac{p^2}{(1-\varepsilon^2)^2}$$

$$\text{(IVa)} \qquad \frac{\left(x - \frac{\varepsilon}{1-\varepsilon^2}p\right)^2}{\left(\frac{p}{1-\varepsilon^2}\right)^2} + \frac{y^2}{\frac{p^2}{1-\varepsilon^2}} = 1 \quad (\textit{Ellipse}, \text{ falls } \varepsilon < 1)$$

$$\text{(IVb)} \qquad \frac{\left(x + \frac{\varepsilon}{\varepsilon^2-1}p\right)^2}{\left(\frac{p}{\varepsilon^2-1}\right)^2} - \frac{y^2}{\frac{p^2}{\varepsilon^2-1}} = 1 \quad (\textit{Hyperbel}, \text{ falls } \varepsilon > 1)$$

Die Polargleichung stellt also einen *Kegelschnitt* durch den festen Punkt $S\,(0\,;\,p)$ dar und ist

$$\text{für} \quad \varepsilon \lesseqgtr 1 \quad \text{eine} \left\{\begin{array}{l}\textbf{Ellipse}\\ \textbf{Parabel}\\ \textbf{Hyperbel}\end{array}\right.$$

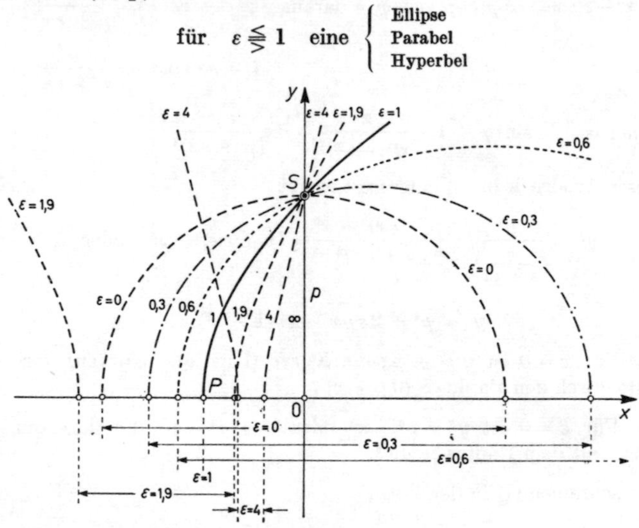

Abb. 155. Die Polargleichung der Kegelschnitte

Im Grenzfall $\varepsilon = 0$ liegt ein Kreis vor; im Grenzfall $\varepsilon \to \infty$ „entartet“ der Kegelschnitt zu einer Geraden.

In Abb. 155 sind die Kegelschnitte für $\varepsilon = 0;\ 0{,}3;\ 0{,}6;\ 1;\ 1{,}9;\ 4$ gezeichnet.

3. Die Bedeutung von p und ε.

3.1 Wir berechnen für Ellipse und Hyperbel die Brennweite aus $e^2 = a^2 \mp b^2$ und erhalten

$$e = \frac{\varepsilon p}{1 - \varepsilon^2} \quad \text{bzw.} \quad e = \frac{\varepsilon p}{\varepsilon^2 - 1}$$

Ellipse und Hyperbel sind also so verschoben, daß ihr einer Brennpunkt im Nullpunkt liegt. Dies trifft auch für die Parabel zu.

3.2 Dividieren wir e durch a, so erhalten wir ε. Hiernach ist die Größe $\varepsilon = \frac{e}{a}$ die numerische Exzentrizität von Ellipse und Hyperbel.

3.3 Die Division von b^2 durch a ergibt p, das ist aber die Brennpunktsordinate (§§ 50 und 59).

Ergebnis: Die durch die Polargleichung dargestellten Kegelschnitte sind konfokal; sie haben die Brennpunktsordinate p und die lineare Exzentrizität ε.

4. Der „Polar-Film“ (Abb. 156)

Der Kreis $x^2 + y^2 = p^2$ (für $\varepsilon = 0$) wandelt sich bei zunehmendem ε (< 1) in immer größere Ellipsen um, deren linke Scheitel nach rechts rücken. Für $\varepsilon = 1$ sind die Ellipsen zu einer Parabel aufgebrochen, deren Scheitel bei $-\frac{1}{2}p$ liegt. Nimmt ε weiter zu,

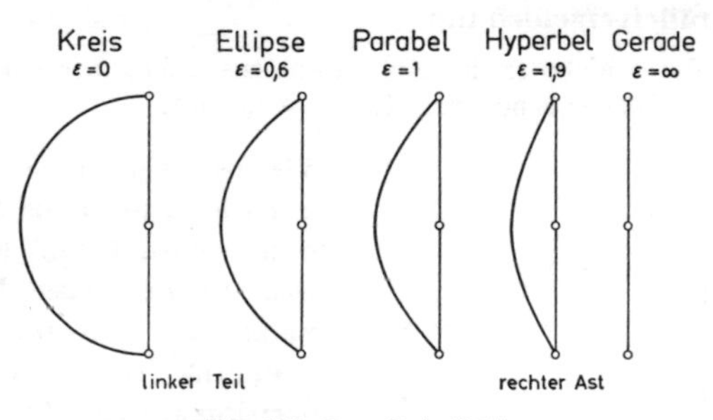

Abb. 156. Der „Polar“-Film

dann sehen wir Hyperbeln mit einem neuen linken Ast; die Hyperbeln werden immer steiler, wobei sich ihr rechter Scheitel mehr und mehr dem Pol nähert. Für $\varepsilon \to \infty$ fallen die beiden Hyperbeläste in der y-Achse zusammen.

DIE ALLGEMEINE GLEICHUNG DER KEGELSCHNITTE

§ 70 Koordinatentransformation

Die Gleichungen der Kegelschnitte sind gekennzeichnet durch das Auftreten der quadratischen Glieder x^2 und y^2. Die linearen Glieder erscheinen, wenn der Kegelschnitt aus der Mittelpunktslage parallel zu den Achsen verschoben wird (§ 56). Die Parabelgleichung enthält nur *ein* quadratisches Glied; bei ihr wird aus der Scheitellage verschoben (§ 46).

Da auch das Produkt der beiden Veränderlichen $(x \cdot y)$ als quadratisches Glied anzusehen ist, müssen wir noch die allgemeine Gleichung

$$Ax^2 + 2Bxy + Cy^2 + 2Dx + 2Ey + F = 0 \qquad (70.1)$$

der Betrachtung unterziehen.

Die Hyperbel $x \cdot y = c^2$, die durch Drehung der gleichseitigen Hyperbel $x^2 - y^2 = a^2$ um 45° entsteht (§ 64.3), läßt vermuten, daß die Gleichung (.1) einen gedrehten Kegelschnitt darstellt.

1. Die Parallelverschiebung

Die Parallelverschiebung des Achsenkreuzes haben wir bei den betrachteten Kurven schon mehrfach angewandt.

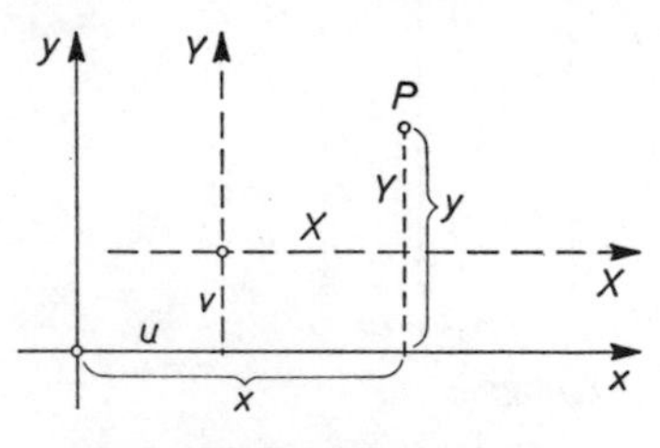

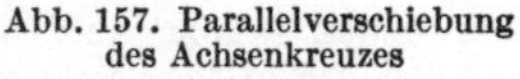
Abb. 157. Parallelverschiebung des Achsenkreuzes

Wir zeichnen zu dem gegebenen Achsenkreuz (x-y) ein achsenparalleles Achsenkreuz (X-Y), dessen Nullpunkt die Koordinaten $N(u; v)$ hat. Dann gelten für einen Punkt P nach Abb. 157 die Beziehungen

$$X = x - u \quad \text{und} \quad Y = y - v \quad \text{oder}$$
$$x = X + u; \qquad y = Y + v \qquad (70.2)$$

2. Drehung

Wir drehen das gegebene Achsensystem (x-y) im positiven Sinn um einen Winkel φ in ein neues Achsensystem (ξ-η). Aus Abb. 158 erhalten wir für den Punkt P:

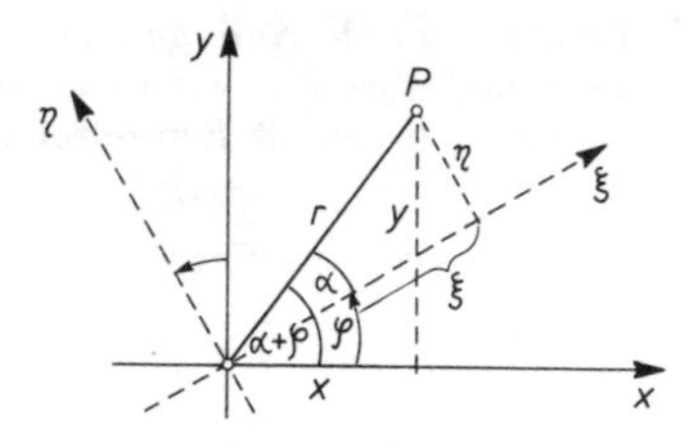

Abb. 158. Drehung des Achsenkreuzes

$$\left.\begin{aligned} x &= r\cos(\varphi+\alpha) = r(\cos\varphi\cos\alpha - \sin\varphi\sin\alpha) \\ y &= r\sin(\varphi+\alpha) = r(\sin\varphi\cos\alpha + \cos\varphi\sin\alpha) \end{aligned}\right\} \quad \text{(I)}$$

$$\left.\begin{aligned} \xi &= r\cos\alpha \\ \eta &= r\sin\alpha \end{aligned}\right\} \quad \text{(II)}$$

Wir setzen die Werte von (II) in (I) ein, wobei wir die Abkürzungen $\sin\varphi = p$ und $\cos\varphi = q$ benutzen:

$$\left.\begin{aligned} x &= \xi\cos\varphi - \eta\sin\varphi = q\,\xi - p\,\eta \\ y &= \xi\sin\varphi + \eta\cos\varphi = p\,\xi + q\,\eta \end{aligned}\right\} \quad (70.3)$$

Lösen wir die Formeln nach ξ und η auf, so wird aus

$x = q\xi - p\eta$	q	$-p$*
$y = p\xi + q\eta$	p	q

$$\rightarrow \quad \left.\begin{aligned} \xi &= \quad qx + py \\ \eta &= -px + qy \end{aligned}\right\} \quad (70.4)$$

§ 71 Theorie der allgemeinen Gleichung der Kegelschnitte

$$Ax^2 + 2Bxy + Cy^2 + 2Dx + 2Ey + F = 0 \qquad (71.1)$$

1. Differentialquotient

Wir differenzieren (.1) implizit nach y (vgl. MR 33, § 11)

$$2Ax + 2B(xy' + y) + 2Cyy' + 2D + 2Ey' = 0$$

$$Ax + By + D + y'(Bx + Cy + E) = 0$$

$$-y' = \frac{Ax + By + D}{Bx + Cy + E}$$

2. Extreme und seitliche Extreme (Abb. 159)

Setzen wir in y' die Zählerfunktion gleich Null, so erhalten wir die Extreme E_1 und E_2 (waagerechte Tangenten). Wird die Nenner-

* $p^2 + q^2 = \sin^2\varphi + \cos^2\varphi = 1$.

funktion gleich Null gesetzt, so ergeben sich die „seitlichen“ Extreme, worunter wir diejenigen Punkte S_1 und S_2 verstehen wollen, in denen die Kurve senkrechte Tangenten besitzt.

$$\left.\begin{array}{rl} \text{Extreme aus} & Ax + By + D = 0 \\ \text{seitliche Extreme aus} & Bx + Cy + E = 0 \end{array}\right\} \qquad (71.2)$$

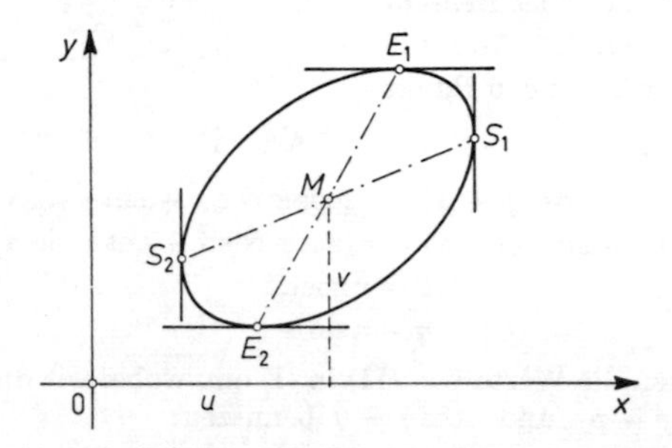

Abb. 159. Gedrehter Kegelschnitt in allgemeiner Lage

3. Mittelpunkt

Die Funktionen (.2) sind die Gleichungen zweier Geraden durch die Extreme (E_1E_2) und durch die seitlichen Extreme (S_1S_2). Sie stellen also zwei *Durchmesser* dar, deren Schnittpunkt der Mittelpunkt $M\,(u\,;\,v)$ des Kegelschnitts ist.

$$\begin{array}{rcl|c|c|} Ax + By & = & -D & C & -B \\ Bx + Cy & = & -E & -B & A \\ \hline \end{array}$$

$$(AC - B^2)\,x = BE - CD$$
$$(AC - B^2)\,y = BD - AE$$

$$\text{Mittelpunkt } M: \quad u = \frac{BE - CD}{AC - B^2}, \quad v = \frac{BD - AE}{AC - B^2} \qquad (71.3)$$

Der Kegelschnitt hat nur dann einen *Mittelpunkt*, wenn

$$AC - B^2 \neq 0$$

4. Parallelverschiebung des Kegelschnitts

Falls der Kegelschnitt einen Mittelpunkt besitzt, so verschieben wir ihn in den Nullpunkt eines neuen X-Y-Systems. Mit den Formeln (70.2): $x = X + u\,,\;\; y = Y + v$ erhalten wir

$$A(X + u)^2 + 2B\,(X + u)\,(Y + v) + C\,(Y + v)^2 + 2D\,(X + u) + \\ + 2E\,(Y + v) + F = 0$$

$$AX^2 + 2BXY + CY^2 + 2X\,(Au + Bv + D) + 2Y\,(Bu + Cv + E) + \\ + (Au^2 + 2Buv + Cv^2 + 2Du + 2Ev + F) = 0$$

Wegen (.2) sind die Koeffizienten der linearen Glieder gleich Null. Wird das absolute Glied, das in seiner Form der gegebenen Gleichung entspricht*, mit G bezeichnet, also

$$G = Au^2 + 2Buv + Cv^2 + 2Du + 2Ev + F\,, \qquad (71.4)$$

so lautet die Gleichung des verschobenen Kegelschnitts

$$AX^2 + 2BXY + CY^2 + G = 0 \qquad (71.5)$$

5. Drehung des Kegelschnitts

Nun erfolgt die Drehung um einen Winkel φ in das ξ-η-System, wobei der Winkel φ so zu wählen ist, daß das Glied $2BXY$ verschwindet.

Mit den Formeln (70.3): $X = q\xi - p\eta$ und $Y = p\xi + q\eta$ ergibt sich

$$A\,(\xi^2 q^2 - 2\xi\eta pq + \eta^2 p^2) + 2B\,(\xi^2 pq + \xi\eta q^2 - \xi\eta p^2 - \eta^2 pq) + \\ + C\,(\xi^2 p^2 + 2\xi\eta pq + \eta^2 q^2) + G = 0$$

Wir ordnen die Glieder

$$\left.\begin{aligned} &\text{mit } \xi^2: && Aq^2 + 2Bpq + Cp^2 && \equiv \alpha \\ &\text{mit } \xi\eta: && -2Apq + 2B\,(q^2 - p^2) + 2Cpq = \\ & && = 2B\,(q^2 - p^2) - 2\,(A - C)\,pq && \equiv 0 \\ &\text{mit } \eta^2: && Ap^2 - 2Bpq + Cq^2 && \equiv \beta \end{aligned}\right\} \qquad (71.6)$$

Da das Glied mit $\xi \cdot \eta$ verschwinden soll, muß sein Koeffizient gleich Null gesetzt werden:

$$2B\,(q^2 - p^2) = 2\,(A - C)\,pq$$

oder

$$\frac{2pq}{q^2 - p^2} = \frac{2B}{A - C}, \quad \text{daraus**}$$

$$\tan 2\varphi = \frac{2B}{A - C} \qquad (71.7)$$

6. Berechnung des Drehwinkels

Aus (.7) kann der doppelte Drehwinkel berechnet werden. Zweckmäßiger erhält man den Drehwinkel selbst, indem man $\tan\varphi$ ($= m$) aus der Formel $t \equiv \tan 2\varphi = \dfrac{2m}{1 - m^2}$ berechnet:

$$t - tm^2 = 2m \quad \text{oder} \quad m^2 + \frac{2}{t}\,m - 1 = 0$$

---

* x und y erscheinen durch u und v ersetzt.

** $\left.\begin{aligned} 2pq &= 2\sin\varphi \cdot \cos\varphi = \sin 2\varphi \\ q^2 - p^2 &= \cos^2\varphi - \sin^2\varphi = \cos 2\varphi \end{aligned}\right\} \dfrac{2pq}{q^2 - p^2} = \tan 2\varphi$

$$m = \frac{-1 \pm \sqrt{1+t^2}}{t}$$

Mit $t = \dfrac{2B}{A-C}$ erhalten wir dann

$$m = \tan\varphi = \frac{-(A-C) + \sqrt{(A-C)^2 + 4B^2}}{2B} \qquad (71.7\,\text{a})$$

Es sei vereinbart, daß von den beiden zueinander negativ-reziproken m-Werten* der positive gewählt werde. Dann ist

$$p = \sin\varphi = \frac{m}{\sqrt{1+m^2}}, \quad q = \cos\varphi = \frac{1}{\sqrt{1+m^2}} \qquad (71.7\,\text{b})$$

7. Die Gleichung des gedrehten Kegelschnitts

Nachdem das $\xi \cdot \eta$-Glied zum Verschwinden gebracht wurde, erscheint die Gleichung des Kegelschnitts in der Form

$$\alpha \cdot \xi^2 + \beta \cdot \eta^2 + G = 0 \qquad (71.8)$$

Hierin sind α und β die in (.6) angegebenen Koeffizienten; für G ist der Wert aus (.4) einzusetzen.

Die Gleichung (.8) stellt im allgemeinen eine *Ellipse* oder eine *Hyperbel* dar**.

8. Entscheidung über die Art des Kegelschnitts

Die Gleichung (71.5)

$$Ax^2 + 2Bxy + Cy^2 + G = 0 \quad \text{oder}$$

$$[1] \qquad -\frac{A}{G}x^2 - \frac{2B}{G}xy - \frac{C}{G}y^2 - 1 = 0$$

stellt einen gedrehten Mittelpunkts-Kegelschnitt dar. Der nicht gedrehte Kegelschnitt habe die Gleichung

$$[2] \qquad \frac{\xi^2}{a^2} + \frac{\eta^2}{b^2} = 1$$

Er ist eine Ellipse, wenn a^2 *und* b^2 positiv sind; er ist eine Hyperbel, wenn a^2 *oder* b^2 negativ ist.

Mit den Formeln (70.4) $\xi = qx + py$; $\eta = -px + qy$ geht [2] über in

$$\frac{(qx+py)^2}{a^2} + \frac{(-px+qy)^2}{b^2} = 1 \quad \text{oder}$$

* Das Produkt der beiden Lösungen für m ist nach VIETA gleich dem absoluten Glied (-1).

** Vergleiche $b^2x^2 \pm a^2y^2 - a^2b^2 = 0$.

[3] $\left[\frac{q^2}{a^2}+\frac{p^2}{b^2}\right]x^2+2pq\left[\frac{1}{a^2}-\frac{1}{b^2}\right]xy+\left[\frac{p^2}{a^2}+\frac{q^2}{b^2}\right]y^2-1=0$

Nun erscheint [3] in der Form [1]; es muß also sein:

[4] $$\frac{q^2}{a^2}+\frac{p^2}{b^2}=-\frac{A}{G}$$

[5] $$2pq\left[\frac{1}{a^2}-\frac{1}{b^2}\right]=-\frac{2B}{G},\quad \text{mit } 2pq=\sin 2\varphi$$

[6] $$\frac{p^2}{a^2}+\frac{q^2}{b^2}=-\frac{C}{G}$$

Aus [4] + [6] und [4] − [6] ergibt sich

[7] $$\frac{1}{a^2}+\frac{1}{b^2}=-\frac{A+C}{G}$$

[8] $$(q^2-p^2)\left[\frac{1}{a^2}-\frac{1}{b^2}\right]=-\frac{A-C}{G},\quad \text{mit } q^2-p^2=\cos 2\varphi$$

Die Division [5] : [8] liefert

[9] $$\tan 2\varphi=\frac{2B}{A-C};\quad \sin 2\varphi=\frac{2B}{W};\ \cos 2\varphi=\frac{A-C}{W}$$

$$\text{mit } W=\sqrt{(A-C)^2+4B^2}$$
$$=\sqrt{(A-C)^2+4AC-4AC+4B^2}$$
$$=\sqrt{(A+C)^2-4(AC-B^2)}$$

[10] $$W=\sqrt{S^2-4Q}$$

wenn zur Abkürzung gesetzt wird:

[11] $$A+C\equiv S \quad\text{und}\quad AC-B^2\equiv Q$$

Mit [9] lautet [5]:	$\frac{1}{a^2}-\frac{1}{b^2}=-\frac{W}{G}$	+	−
dazu [7]:	$\frac{1}{a^2}+\frac{1}{b^2}=-\frac{S}{G}$	+	+

daraus $\frac{1}{a^2}=-\frac{S+W}{2G}$ und $\frac{1}{b^2}=-\frac{S-W}{2G}$ oder

[12] $$\boldsymbol{a^2=-\frac{2G}{S+W}} \quad\text{und}\quad \boldsymbol{b^2=-\frac{2G}{S-W}}$$

Nun wird $a^2\cdot b^2=\frac{4G^2}{S^2-W^2}=\frac{4G^2}{4Q}=\frac{G^2}{Q}$

Das Vorzeichen von Q entscheidet über die Art des Kegelschnitts:

Für $Q \equiv AC - B^2$ $\left.\right\}$ > 0 haben a^2 und b^2 gleiches Vorzeichen; < 0 haben a^2 und b^2 verschied. Vorzeichen

$$\text{Für } Q = AC - B^2 \gtrless 0 \text{ liegt eine } \left\{ \begin{matrix} \text{Ellipse} \\ \text{Hyperbel} \end{matrix} \right\} \text{ vor.}$$

9. Der Fall $AC = B^2$

Wir haben jetzt noch den Fall zu untersuchen, daß der Kegelschnitt *keinen* Mittelpunkt hat, also wenn $AC = B^2$ ist. In diesem Fall nehmen in (.3) die Koordinaten von M die Werte unendlich an. Da hier die Parallelverschiebung keinen Sinn hat, müssen wir sofort die Drehung vornehmen.

a) Umformung. Um eine übersichtlichere Rechnung zu erhalten, multiplizieren wir zunächst die Gleichung (.1) mit C:

$$ACx^2 + 2BCxy + C^2y^2 + C\,(2Dx + 2Ey + F) = 0$$

oder wegen $AC = B^2$:

$$B^2x^2 + 2BCxy + C^2y^2 + C\,(2Dx + 2Ey + F) = 0$$

Jetzt können die drei ersten Glieder zu einem Quadrat zusammengefaßt werden:

$$(Bx + Cy)^2 + C\,(2Dx + 2Ey + F) = 0 \qquad (71.9)$$

b) Drehwinkel. Mit (.7a) erhalten wir

$$m = \frac{-(A - C) + \sqrt{(A - C)^2 + 4AC}}{2B} = \frac{-(A - C) + \sqrt{(A + C)^2}}{2B}$$

$$m = \frac{-(A - C) + (A + C)}{2B} = \frac{C}{B} \quad \text{oder auch } m = \frac{B}{A}$$

$$\left.\begin{aligned} &\text{Daher ist } m^2 = \frac{C}{B}\cdot\frac{B}{A} = \frac{C}{A}, \text{ also } m = \tan\varphi = \sqrt{\frac{C}{A}} \\ &p = \sin\varphi = \sqrt{\frac{C}{A + C}}; \quad q = \cos\varphi = \sqrt{\frac{A}{A + C}} \end{aligned}\right\} \qquad (71.10)$$

c) Berechnung von $Bx + Cy$ in (.9) mit den Formeln (70.4)

$$\left.\begin{aligned} Bx &= B\,(q\xi - p\eta) \\ Cy &= C\,(p\xi + q\eta) \end{aligned}\right\} \quad Bx + Cy = (Bq + Cp)\,\xi + (Cq - Bp)\,\eta$$

Nun setzen wir die Werte für p und q aus (.10) ein:

$$Bq + Cp = \frac{B\sqrt{A} + C\sqrt{C}}{\sqrt{A+C}} = \frac{\sqrt{AC\cdot A} + C\sqrt{C}}{\sqrt{A+C}} = \frac{A\sqrt{C} + C\sqrt{C}}{\sqrt{A+C}}$$

$$= \frac{\sqrt{C}\,(A+C)}{\sqrt{A+C}} = \sqrt{C\,(A+C)}$$

$$Cq - Bp = \frac{C\sqrt{A} - B\sqrt{C}}{\sqrt{A+C}} = \frac{C\sqrt{A} - \sqrt{AC\cdot C}}{\sqrt{A+C}} = \frac{C\sqrt{A} - C\sqrt{A}}{\sqrt{A+C}} = 0$$

Mit $Bq + Cp = \sqrt{C\,(A+C)}$ und $Cq - Bp = 0$ wird

$$Bx + Cy = \xi\cdot\sqrt{C\,(A+C)}$$

also

$$(Bx + Cy)^2 = C\,(A+C)\,\xi^2$$

d) Gleichung des gedrehten Kegelschnitts. Die Gleichung (.9) geht nunmehr nach Division durch C über in

$$(A+C)\,\xi^2 + 2Dx + 2Ey + F = 0 \qquad (71.11)$$

Da das eine quadratische Glied (nämlich η) weggefallen ist, stellt diese Gleichung im allgemeinen eine *Parabel* dar.

e) Substitution von x und y. In (.11) können wir nun noch x und y mit den Formeln (70.4) ersetzen:

$$Dx + Ey = D\,(q\xi - p\eta) + E\,(p\xi + q\eta)$$

$$= (Dq + Ep)\,\xi + (Eq - Dp)\,\eta$$

$$= \frac{D\sqrt{A} + E\sqrt{C}}{\sqrt{A+C}}\,\xi + \frac{E\sqrt{A} - D\sqrt{C}}{\sqrt{A+C}}\,\eta$$

Dann nimmt (.11) die endgültige Form an: (71.11a)

$$(A+C)\,\xi^2 + \frac{2}{\sqrt{A+C}}\Big[\underbrace{(D\sqrt{A} + E\sqrt{C})}_{d}\,\xi + \underbrace{(E\sqrt{A} - D\sqrt{C})}_{e}\,\eta\Big] + F = 0$$

f) Berechnung des Parameters und der Scheitelkoordinaten

Abkürzungen: $A + C \equiv S$; $AC - B^2 \equiv Q$;
$AD^2 + 2BDE + CE^2 \equiv P$; $AE^2 - 2BDE + CD^2 \equiv M$
Dann ist $d^2 = P$ und $e^2 = M$; also

$$S\xi^2 + \frac{2}{\sqrt{S}}\,d\xi + \frac{2}{\sqrt{S}}\,e\eta + F = 0$$

$$\xi^2 + 2\xi\sqrt{\frac{P}{S^3}} + 2\eta\sqrt{\frac{M}{S^3}} + \frac{F}{S} = 0$$

$$\left[\xi + \sqrt{\frac{P}{S^3}}\right]^2 = -2\eta\sqrt{\frac{M}{S^3}} - \frac{F}{S} + \frac{P}{S^3}$$

$$\left[\xi + \sqrt{\frac{P}{S^3}}\right]^2 = -2\sqrt{\frac{M}{S^3}}\left[\eta + \frac{FS^2 - P}{\sqrt{MS^3}}\right]$$

$$\text{Parameter} = \sqrt{\frac{M}{S^3}}; \quad \text{Scheitel: } u = \sqrt{\frac{P}{S^3}}; \quad v = \frac{FS^2 - P}{\sqrt{MS^3}}$$

§ 72 Zerfallende Kegelschnitte

1. Geradenpaar ($G = 0$)

Wenn in der Gleichung (71.8) eines Mittelpunkts-Kegelschnitts das absolute Glied den Wert Null besitzt ($G = 0$), so ist

$$\alpha \cdot \xi^2 + \beta \cdot \eta^2 = 0$$

oder

$$\eta = \pm \xi \sqrt{-\frac{\alpha}{\beta}}$$

Sofern die Koeffizienten α und β in (71.6) verschiedene Vorzeichen haben, die Wurzel also reell ist, stellt diese Gleichung ein *Geradenpaar* dar. Man sagt: der Kegelschnitt *zerfällt* oder *entartet*.
Es zeigt sich, daß in diesem Fall der Punkt M (u; v) der Schnittpunkt der beiden Geraden ist (vgl. Aufgabe 104 und 106).

2. Parallelenpaar ($G \neq 0$)

a) Bedingung. Wenn außer dem quadratischen Glied (η^2) in (71.11a) auch das lineare Glied mit η verschwindet, dann muß $e = 0$ sein:

$$E\sqrt{A} = D\sqrt{C} \quad \text{oder} \quad AE^2 = CD^2$$

Wir multiplizieren mit A bzw. mit C:

$$A^2E^2 = ACD^2 \quad \text{bzw.} \quad ACE^2 = C^2D^2 \quad \text{oder}$$
$$A^2E^2 = B^2D^2 \quad \text{bzw.} \quad B^2E^2 = C^2D^2 \quad \text{oder}$$
$$AE = BD \quad \text{bzw.} \quad BE = CD \qquad (72.1)$$

Das Glied mit η verschwindet also, wenn die Beziehungen (.1) erfüllt sind, d.h. wenn in (71.3) Zähler und Nenner gleichzeitig gleich Null sind.

b) Gleichung. Nunmehr enthält (71.11a) neben dem absoluten Glied nur noch ein quadratisches und ein lineares Glied von ξ, hat also die Form

$$\alpha \cdot \xi^2 + \beta \cdot \xi + G = 0$$

daraus $$\xi = \frac{-\beta \pm \sqrt{\beta^2 - 4\alpha G}}{2\alpha} = \begin{cases} g \\ h \end{cases}$$

Die Gleichungen $\xi = g$ und $\xi = h$ sind aber zwei *Parallele* zur η-Achse (falls $\beta^2 > 4\alpha G$). Wenn die Bedingung (.1) erfüllt ist, zerfällt die Parabel in ein Parallelenpaar.

§ 73 Gang der Untersuchung

Man stellt zunächst fest, ob

der Fall (a): $Q \equiv AC - B^2 \neq 0$

oder der Fall (b): $Q \equiv AC - B^2 = 0$ vorliegt.

1. Fall (a)

Berechnung von $M\ (u\,;\,v)$ mit (71.3) und von G mit (71.4):

$$u = \frac{BE - CD}{AC - B^2}\,;\quad v = \frac{BD - AE}{AC - B^2}\,;$$

$$G = Au^2 + 2Buv + Cv^2 + 2Du + 2Ev + F$$

Berechnung von φ mit (71.7a) und (71.7b):

$$m = \tan\varphi = \frac{-(A - C) + \sqrt{(A - C)^2 + 4B^2}}{2B}$$

$$p = \sin\varphi = \frac{m}{\sqrt{1 + m^2}}\,;\quad q = \cos\varphi = \frac{1}{\sqrt{1 + m^2}}$$

Drehung mit $X = q\xi - p\eta$ und $Y = p\xi + q\eta$ ergibt (71.8):

$$\alpha \cdot \xi^2 + \beta \cdot \eta^2 + G = 0 \quad \begin{cases} \text{Ellipse für } Q > 0 \\ \text{Hyperbel für } Q < 0 \end{cases}$$

Unterfall $G = 0$

Berechnung von u, v, G und φ ergibt nach der Drehung

$$\alpha \cdot \xi^2 + \beta \cdot \eta^2 = 0 \quad \text{(Geradenpaar)}$$

2. Fall (b)

Berechnung von φ mit (71.10):

$$m = \tan\varphi = \sqrt{\frac{C}{A}}\,;\quad p = \sin\varphi = \sqrt{\frac{C}{A + C}}\,;\quad q = \cos\varphi = \sqrt{\frac{A}{A + C}}$$

Drehung mit $x = q\xi - p\eta$ und $y = p\xi + q\eta$ ergibt (71.11):

$$(A + C)\,\xi^2 + \alpha \cdot \xi + \beta \cdot \eta + F = 0 \quad \text{(Parabel)}$$

Unterfall $BE = CD$ bzw. $BD = AE$

Berechnung von φ ergibt nach der Drehung

$$\alpha \cdot \xi^2 + \beta \cdot \xi + \gamma = 0 \quad \text{(Parallelenpaar)}$$

§ 74 Aufgaben

Vorbemerkung. Zur Kontrolle für die Zeichnung stelle man die Achsenschnittpunkte des Kegelschnitts im ursprünglichen System fest.

102. $29x^2 - 24xy + 36y^2 - 82x + 96y - 91 = 0$

$AC - B^2 = 900; \quad u = 1; \quad v = -1; \quad G = -180$

$29X^2 - 24XY + 36Y^2 - 180 = 0$

$$m = \frac{3}{4}; \quad p = \frac{3}{5}; \quad q = \frac{4}{5}; \quad \varphi = 37°; \quad X = \frac{4\xi - 3\eta}{5}; \quad Y = \frac{3\xi + 4\eta}{5}$$

$$29(4\xi - 3\eta)^2 - 24(4\xi - 3\eta)(3\xi + 4\eta) + 36(3\xi + 4\eta)^2 = 25 \cdot 180$$

ξ^2: $\quad 29 \cdot 16 - 24 \cdot 12 + 36 \cdot 9 = 464 - 288 + 324 = 500$

$\xi \cdot \eta$: $\quad -29 \cdot 24 - 24 \cdot 7 + 36 \cdot 24 = 0$ (zur Probe)

η^2: $\quad 29 \cdot 9 + 24 \cdot 12 + 36 \cdot 16 = 261 + 288 + 576 = 1125$

$500\xi^2 + 1125\eta^2 = 25 \cdot 180$ oder $4\xi^2 + 9\eta^2 = 36$

Ellipse: $$\frac{\xi^2}{9} + \frac{\eta^2}{4} = 1$$

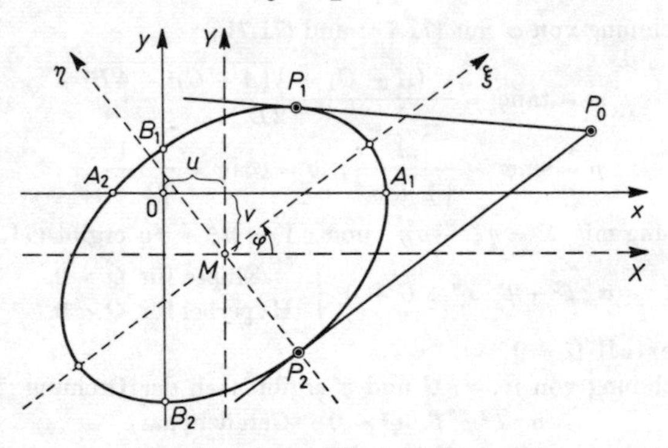

Abb. 160. Gedrehte Ellipse mit Tangenten

Achsenschnittpunkte:

aus $y = 0$: $\quad 29x^2 - 82x - 91 = 0; \quad x_1 = 3{,}68; \quad x_2 = -0{,}85$

aus $x = 0$: $\quad 36y^2 + 96y - 91 = 0; \quad y_1 = 0{,}74; \quad y_2 = -3{,}41$

103. $319x^2 + 816xy + 81y^2 + 994x - 492y + 4636 = 0$

$AC - B^2 = -140625; \quad u = 1; \quad v = -2; \quad G = 5625$

$319X^2 + 816XY + 81Y^2 + 5625 = 0$

$$m = \frac{3}{4}; \quad p = \frac{3}{5}; \quad q = \frac{4}{5}; \quad X = \frac{4\xi - 3\eta}{5}; \quad Y = \frac{3\xi + 4\eta}{5}$$

$$15625\,\xi^2 - 5625\,\eta^2 + 25 \cdot 5625 = 0$$

$$-25\,\xi^2 + 9\,\eta^2 = 225$$

Hyperbel: $$-\frac{\xi^2}{9} + \frac{\eta^2}{25} = 1$$

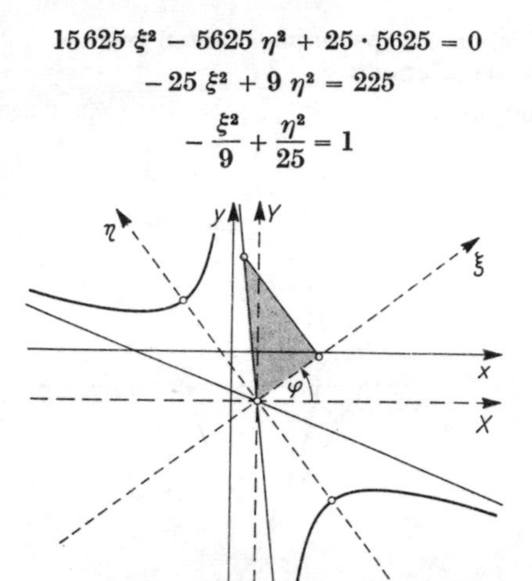

Abb. 161. Gedrehte Hyperbel

Die Hyperbel schneidet weder die x-Achse noch die y-Achse. Sie ist im ξ-η-System nach oben und unten geöffnet.

104. $130x^2 + 87xy + 14y^2 - 86x - 31y + 12 = 0$

$AC - B^2 = -72{,}25$; $u = 1$; $v = -2$; $G = 0$

$130X^2 + 87XY + 14Y^2 = 0$

$$m = \frac{1}{3}; \quad p = \frac{1}{\sqrt{10}}; \quad q = \frac{3}{\sqrt{10}}; \quad X = \frac{3\,\xi - \eta}{\sqrt{10}}; \quad Y = \frac{\xi + 3\eta}{\sqrt{10}}$$

$$1445\,\xi^2 - 5\eta^2 = 0 \quad \text{oder} \quad 289\,\xi^2 = \eta^2$$

Geradenpaar: $\eta = \pm 17\,\xi$

Achsenschnittpunkte: $x_1 = 0{,}46$; $x_2 = 0{,}2$; $y_1 = 1{,}71$; $y_2 = 0{,}5$

105. $9x^2 + 24xy + 16y^2 - 210x - 30y - 75 = 0$

$AC = B^2 = 144$

$$m = \frac{4}{3}; \; p = \frac{4}{5}; \; q = \frac{3}{5}; \quad \varphi = 53°; \quad x = \frac{3\xi - 4\eta}{5}; \quad y = \frac{4\xi + 3\eta}{5}$$

$$2Dx + 2Ey + F = -15\,(14x + 2y + 5)$$
$$= -75\,(2\xi - 2\eta + 1)$$

also $$25\xi^2 - 75\,(2\xi - 2\eta + 1) = 0$$

oder $$\xi^2 - 6\xi + 6\eta - 3 = 0$$

Parabel: $$(\xi - 3)^2 = -6\,(\eta - 2)$$

Die Parabel ist im ξ-η-System nach unten geöffnet.
Scheitel (3 ; 2) ; Parameter -3 .
Achsenschnittpunkte: $x_1 = 23{,}7$; $x_2 = -0{,}35$; $y_1 = 3{,}3$; $y_2 = -1{,}42$

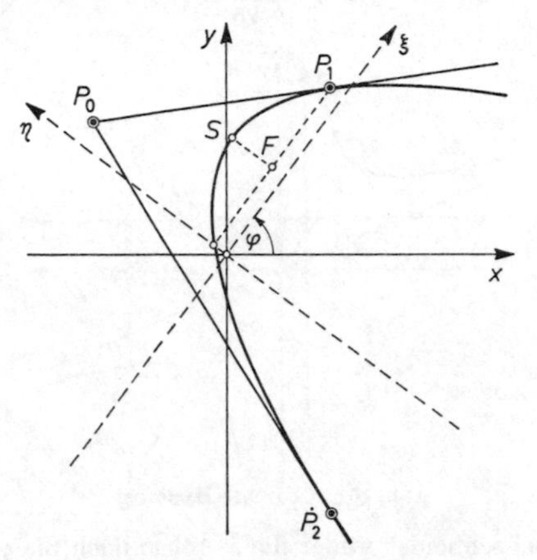

Abb. 162. Gedrehte Parabel mit Tangenten

106. $9x^2 + 24x + 16y^2 + 18x + 24y + 5 = 0$
(zunächst wie in Aufgabe 105)

$$2DX + 2Ey + F = \tfrac{18}{5}(3\xi - 4\eta) + \tfrac{24}{5}(4\xi + 3\eta)$$
$$= 30\xi + 5$$

also $25\xi^2 + 30\xi + 5 = 0$ oder $5\xi^2 + 6\xi + 1 = 0$
Parallelenpaar $\xi = -1$ und $\xi = -0{,}2$
Achsenschnittpunkte: $x_1 = -\frac{1}{3}$; $x_2 = -\frac{5}{3}$; $y_1 = -\frac{1}{4}$; $y_2 = -\frac{5}{4}$

107. $6x^2 + 5xy - 6y^2 - 61x + 45y - 21 = 0$
$AC - B^2 = -61$; $u = 3$; $v = 5$; $G = 0$

$m = \dfrac{1}{5}$; $p = \dfrac{1}{\sqrt{26}}$; $q = \dfrac{5}{\sqrt{26}}$; man erhält schließlich die senkrecht aufeinander stehenden Geraden $\eta = \pm\,\xi$
Achsenschnittpunkte: $x_1 = 10{,}5$; $x_2 = -0{,}33$; $y_1 = 7$; $y_2 = 0{,}5$

108. Die in den Aufgaben 104, 106 und 107 errechneten Geradengleichungen sollen im ursprünglichen x-y-System angegeben werden. (Abb. 163).
Wir benutzen die Formeln (70.4).

zu 104. $\eta = \pm 17\,\xi$ mit $p = \dfrac{1}{\sqrt{10}}$; $q = \dfrac{3}{\sqrt{10}}$; $u = 1$; $v = -2$

$$\xi = \frac{3X + Y}{\sqrt{10}}\,; \quad \eta = \frac{-X + 3Y}{\sqrt{10}}$$

also $$-X + 3Y = \pm 17\,(3X + Y) \quad \rightarrow \quad \begin{cases} 26X + 7Y = 0 \\ 5X + 2Y = 0 \end{cases}$$

Mit $X = x - 1$ und $Y = y + 2$:

$$\begin{cases} 26\,(x - 1) + 7\,(y + 2) = 0 \\ 5\,(x - 1) + 2\,(y + 2) = 0 \end{cases} \quad \rightarrow \quad \boxed{\begin{array}{l} 26x + 7y - 12 = 0 \\ 5x + 2x - 1 = 0 \end{array}}$$

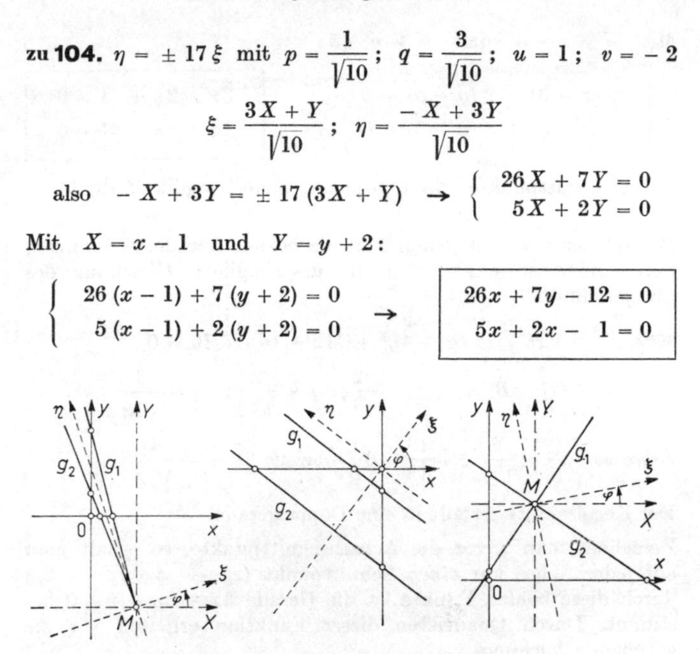

Abb. 163. Zerfallende Kegelschnitte

Die beiden Geraden haben die oben angegebenen Achsenschnittpunkte. Als Schnittpunkt finden wir $M\,(1\,;\,-2)$.

zu 106. $\xi = -1$ und $\xi = -0{,}2$ mit $p = \frac{4}{5}$; $q = \frac{3}{5}$

$$\xi = \frac{3x + 4y}{5} = \begin{cases} -1 \\ -0{,}2 \end{cases} \quad \rightarrow \quad \boxed{\begin{array}{l} 3x + 4y + 5 = 0 \\ 3x + 4y + 1 = 0 \end{array}}$$

Achsenschnittpunkte wie oben.

zu 107. $\eta = \pm\,\xi$ mit $p = \dfrac{1}{\sqrt{26}}$; $q = \dfrac{5}{\sqrt{26}}$

$$\xi = \frac{5X + Y}{\sqrt{26}}\,; \quad \eta = \frac{-X + 5Y}{\sqrt{26}}$$

also $$-X + 5Y = \pm\,(5X + Y) \quad \rightarrow \quad \begin{cases} 3X - 2Y = 0 \\ 2X + 3Y = 0 \end{cases}$$

Mit $X = x - 3$ und $Y = y - 5$:

$$\begin{cases} 2(x-3) - 2(y-5) = 0 \\ 3(x-3) + 3(y-5) = 0 \end{cases} \rightarrow \boxed{\begin{aligned} 3x - 2y + 1 &= 0 \\ 2x + 3y - 21 &= 0 \end{aligned}}$$

Achsenschnittpunkte wie angegeben; Schnittpunkt M (3; 5).

Multiplizieren wir in jedem Fall die beiden Geradengleichungen miteinander, so ergibt sich die ursprüngliche Gleichung des „Kegelschnitts".

109. $9x^2 + 12xy + 4y^2 + 24x + 16y + 16 = 0$

$$AC - B^2 = 0; \quad m = \frac{2}{3}; \quad p = \frac{2}{\sqrt{13}}; \quad q = \frac{3}{\sqrt{13}}$$

Ergebnis: $\xi^2 + \frac{8}{\sqrt{13}}\xi + \frac{16}{13} = 0$, daraus $\xi = -\frac{4}{\sqrt{13}}$

Der Kegelschnitt zerfällt in eine Doppelgerade.

Berechnet man zuvor die Achsenschnittpunkte, so erhält man auf jeder Achse nur *einen* Schnittpunkt ($x_0 = -\frac{4}{3}$; $y_0 = -2$); durch diese beiden Punkte ist die Gerade $3x + 2y + 4 = 0$ bestimmt. Durch Quadrieren dieser Funktion erhalten wir die gegebene Gleichung.

110. $29x^2 - 24xy + 36y^2 - 10x - 120y + 125 = 0$

$AC - B^2 = 900$; M (1; 2); $G = 0$

$29X^2 - 24XY + 36Y^2 = 0$ oder $9\xi^2 + 4\eta^2 = 0$

stellt eine Punktellipse dar, die auch als imaginäres Geradenpaar $\eta = \pm\frac{3}{2}\xi i$ aufgefaßt werden kann.

111. $9x^2 + 24xy + 16y^2 - 120x - 160y + 625 = 0$

Ergebnis: $\xi^2 - 8\xi + 25 = 0$, daraus $\xi = 4 \pm 3i$

Auch dieser Kegelschnitt zerfällt in ein imaginäres Geradenpaar.

§ 75 Tangente an einen gedrehten Kegelschnitt

Wir suchen die Gleichung der Tangente im Punkt P_1 (x_1; y_1) an den Kegelschnitt

$$Ax^2 + 2Bxy + Cy^2 + 2Dx + 2Ey + F = 0$$

Die Tangente habe die Gleichung

$$y - y_1 = m(x - x_1) \quad \text{oder} \quad y = mx + (y_1 - mx_1) = mx + k,$$

wobei wir m durch implizites Differenzieren erhalten; vgl. (71.1):

$$-m = \frac{Ax_1 + By_1 + D}{Bx_1 + Cy_1 + E}$$

Dann ist $k = y_1 + \dfrac{Ax_1 + By_1 + D}{Bx_1 + Cy_1 + E} \cdot x_1$

$$k = \frac{Ax_1^2 + 2Bx_1y_1 + Cy_1^2 + DX_1 + Ey_1}{Bx_1 + Cy_1 + E} \equiv \frac{Z}{N}$$

Wird im Zähler $Dx_1 + Ey_1 + F$ addiert und subtrahiert, so ist Summe aus dem Zähler und der zu ihm addierten Glieder gleich Null (Kegelschnittsgleichung für P_1), so daß die subtrahierten Glieder übrig bleiben, also

$$Z = -(Dx_1 + Ey_1 + F)$$

Mithin ist $\quad k = -\dfrac{Dx_1 + Ey_1 + F}{Bx_1 + Cy_1 + E}$

Setzen wir nun m und k in die Tangentengleichung $y = mx + k$ ein, so ergibt sich nach Multiplikation mit dem Nenner N:

$$(Ax_1 + By_1 + D)x + (Bx_1 + Cy_1 + E)y + (Dx_1 + Ey_1 + F) = 0 \tag{75.1}$$

Zur *Probe:* Wir setzen $x = x_1$ und $y = y_1$ und erhalten die Kegelschnittsgleichung für den Punkt P_1.

Die Gleichung der *Polaren* in bezug auf den Pol P_0 $(x_0;\ y_0)$ lautet entsprechend

$$(Ax_0 + By_0 + D)x + (Bx_0 + Cy_0 + E)y + (Dx_0 + Ey_0 + F) = 0 \tag{75.2}$$

Aufgaben

112. An die Ellipse $29x^2 - 24xy + 36y^2 - 82x + 96y - 91 = 0$ (Aufg. 102) sind in den Punkten mit der Abszisse $x_1 = 2{,}2$ die Tangenten zu legen. Wo schneiden sie sich? Die Lösungen sind für das x-y-System und für das ξ-η-System anzugeben (Abb. 160).

Die Koordinaten der Berührpunkte erhält man aus der Ellipsengleichung für $x = 2{,}2$:

$$y^2 + 12y - 3{,}64 = 0 \text{ ergibt } \begin{cases} y_1 = 1{,}4 \\ y_2 = -2{,}6 \end{cases}$$

System	Berühr-punkte	Tangenten	Pol	Polare
x-y	2,2 ; 1,4 2,2 ; −2,6	$x + 12y - 19 = 0$ $3x - 4y - 17 = 0$	7 ; 1	$x = 2{,}2$
X-Y	1,2 ; 2,4 1,2 ; −1,6	$X + 12Y - 30 = 0$ $3X - 4Y - 10 = 0$	6 ; 2	$X = 1{,}2$
ξ-η	2,4 ; 1,2 0 ; −2	$8\xi + 9\eta - 30 = 0$ $\eta + 2 = 0$	6 ; −2	$4\xi - 3\eta = 6$

113. Untersuche den Kegelschnitt

$$29x^2 + 24xy + 36y^2 + 12x - 216y - 360 = 0\,.$$

Lege die Tangente in P_1 (3,6 ; −8,2) !

Achsenschnittpunkte

$$x_1 = 3{,}32\,;\; x_2 = -3{,}74\,;\; y_1 = 1{,}36\,;\; y_2 = -7{,}36$$

Es liegt die Ellipse $9\xi^2 + 4\eta^2 = 144$ vor.

$$\text{Tangente}\begin{cases} x - 12y - 102 = 0 \text{ berührt in } (3{,}6\,;\,-8{,}2)\\ 9\xi + 8\eta + 60 = 0 \text{ berührt in } (-2{,}4\,;\,-4{,}8)\end{cases}$$

114. Wie heißen die Tangenten an den Kegelschnitt

$$17x^2 - 312xy + 108y^2 - 726x + 1368y + 3357 = 0$$

im Punkt P_1 ($x_1 = 5{,}4$) ? Gesucht sind Pol und Polare (Abb. 164).
Die Funktion ist eine Hyperbel: $4\xi^2 - 9\eta^2 = 36$

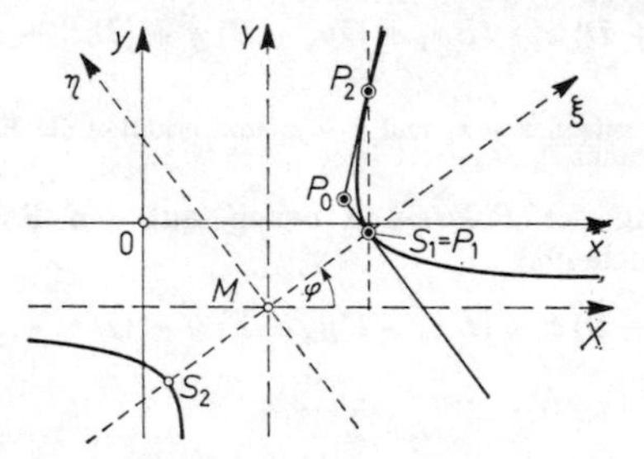

Abb. 164. Gedrehte Hyperbel mit Tangenten

System	Berühr-punkte	Tangenten	Pol	Polare
x-y	5,4 ; $-\frac{1}{5}$ 5,4 ; $\frac{47}{15}$	$4x + 3y - 21 = 0$ $38x - 9y - 177 = 0$	4,8; 0,6	$x = 5{,}4$
ξ-η	3 ; 0 5 ; $2\frac{2}{3}$	$\xi = 3$* $5\xi - 6\eta - 9 = 0$	3 ; 1	$4\xi - 3\eta = 12$

* Tangente im rechten Scheitel.

115. Im Punkt P_1 ($x_1 = 3{,}2$) sind an den Kegelschnitt

$$9x^2 + 24xy + 16y^2 - 210x - 30y - 75 = 0$$

die Tangenten zu legen.

Die Funktion ist die Parabel $(\xi - 3)^2 = -6(\eta - 2)$; vgl. Abb. 162.

System	Berühr-punkte	Tangenten	Pol	Polare
x-y	3,2; 5,1 3,2; − 8,025	$x - 7y + 32\frac{1}{2} = 0$ $23x + 14y + 38\frac{3}{4} = 0$	− 4,15; 4,05	$x = 3{,}2$
ξ-η	6; $\frac{1}{2}$ $-4\frac{1}{2}$; $-7\frac{3}{8}$	$\xi + \eta = 6\frac{1}{2}$ $5\xi - 2\eta = -7\frac{3}{4}$	$\frac{3}{4}$; $5\frac{3}{4}$	$3\xi - 4\eta = 16$

116. Auf den Koordinatenachsen gleiten die Ecken A und B eines starren Dreiecks. Welchen Ort beschreibt die Ecke C?

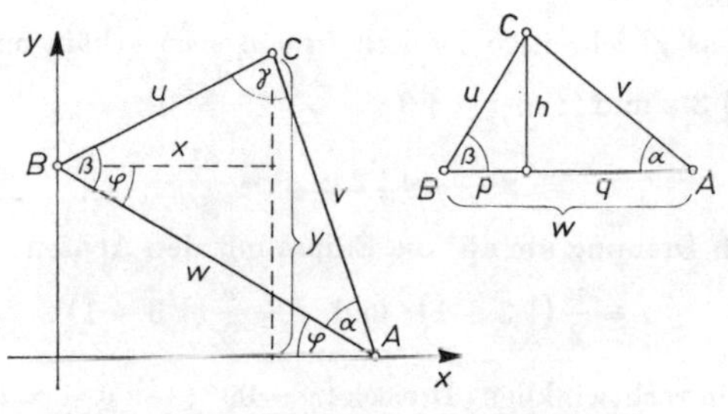

Abb. 165. VAN SCHOOTENS Ortsaufgabe (1657)

Aus der Nebenfigur entnehmen wir

$$h = u \cdot \sin\beta = v \cdot \sin\alpha; \quad p = u \cdot \cos\beta; \quad q = v \cdot \cos\alpha;$$

dann ist $h^2 - pq = uv\,(\sin\beta\sin\alpha - \cos\beta\cos\alpha)$

$$= -uv\cos(\beta + \alpha) = uv \cdot \cos\gamma$$

Die Seite w werde unter dem Winkel φ angetragen; es ist

$$x = u \cdot \cos(\beta - \varphi) = u\,(\cos\beta\cos\varphi + \sin\beta\sin\varphi)$$
$$x = p \cdot \cos\varphi + h \cdot \sin\varphi$$
$$y = v \cdot \sin(\alpha + \varphi) = v\,(\sin\alpha\cos\varphi + \cos\alpha\sin\varphi)$$
$$y = h \cdot \cos\varphi + q \cdot \sin\varphi$$

$x = p \cdot \cos\varphi + h \cdot \sin\varphi$	h	$-q$
$y = h \cdot \cos\varphi + q \cdot \sin\varphi$	$-p$	h

$$hx - py = (h^2 - pq)\sin\varphi = uv\cos\gamma\sin\varphi$$
$$-qx + hy = (h^2 - pq)\cos\varphi = uv\cos\gamma\cos\varphi$$

Wir eliminieren das veränderliche φ mit dem trigonometrischen Pythagoras: $(hx - py)^2 + (-qx + hy)^2 = u^2v^2 \cdot \cos^2\gamma$

oder $(h^2 + q^2)\,x^2 - 2\,(hp + hq)\,xy + (h^2 + p^2)\,y^2 = u^2v^2 \cdot \cos^2\gamma$*

$$v^2x^2 - 4\,\mathrm{F}xy + u^2y^2 = \frac{4\,\mathrm{F}^2}{\tan^2\gamma}$$

Der Ort von C ist ein Kegelschnitt, und zwar eine Ellipse. Es ist nämlich nach § 71.8:

$Q \equiv AC - B^2 = v^2u^2 - 4\mathrm{F}^2 = v^2u^2 - (uv\sin\gamma)^2 = u^2v^2 \cdot \cos^2\gamma > 0$

Zahlenbeispiel: $u = 6$; $v = 7$; $w = 4$;

dann ist $\mathrm{F} = 11{,}98$; $\gamma = 34°51'$; $\tan\gamma = 0{,}696$;

Gleichung: $49x^2 - 47{,}92xy + 36y^2 = 1185$

Durch Drehung um $52°35'$ erhalten wir die Ellipse mit den Achsen $a = 8{,}2$ und $b = 4{,}2$.

Sonderfälle

1. Für das gleichseitige Dreieck ($u = v = w$) erhält man wegen $\mathrm{F} = \frac{u^2}{4}\sqrt{3}$ und $\tan\gamma = \sqrt{3}$:

$$x^2 - xy\sqrt{3} + y^2 = \frac{u^2}{4}$$

und nach Drehung um 45° die Ellipse mit den Achsen

$$a = \frac{u}{2}\left(\sqrt{3} + 1\right) \quad \text{und} \quad b = \frac{u}{2}\left(\sqrt{3} - 1\right).$$

2. Für ein rechtwinkliges Dreieck $\left(\gamma = 90°;\ \tan\gamma = \infty;\ \mathrm{F} = \frac{uv}{2}\right)$ ergibt sich

$$v^2x^2 - 2uvxy + u^2y^2 = 0 \quad \text{oder} \quad (vx - uy)^2 = 0, \quad \text{also}$$

$$y = \frac{v}{u}\,x$$

Die Ellipse entartet zu einer Doppelgeraden durch den Nullpunkt.

3. Für ein rechtwinkliges Dreieck mit $\beta = 90°$ (Katheten $AB = w$, $BC = u$) ist $\mathrm{F} = \frac{1}{2}\,uw$, $\tan\gamma = \frac{w}{u}$:

$$v^2x^2 - 2uwxy + u^2y^2 = u^4$$

Insbesondere ist für $u = 2$, $w = 1$ ($v = \sqrt{5}$):

$$5x^2 - 4xy + 4y^2 = 16$$

Die Drehung um 52° ergibt die Ellipse mit $a = 2{,}56$ und $b = 1{,}56$.

---

* $hp + hq = hw = 2\mathrm{F}$; wegen $2\,\mathrm{F} = uv\sin\gamma$ ist $uv\cos\gamma = \frac{2\,\mathrm{F}}{\tan\gamma}$.

ANHANG

Übersicht zu den Kegelschnitten

Kegelschnitt	Ellipse	Parabel	Hyperbel
Mögliche Schnitte durch einen Kegel § 67, Abb. 148	$\beta > \alpha$	$\beta = \alpha$	$\beta < \alpha$
Scheitelgleichung, § 68.2, Abb. 152 $y^2 = 2px + \alpha x^2$	$\alpha < 0$	$\alpha = 0$	$\alpha > 0$
Leitlinie, § 68.5, Abb. 153 Das Abstandsverhältnis vom Brennpunkt und von der Leitlinie ist λ	$\lambda < 1$	$\lambda = 1$	$\lambda > 1$
Polargleichung, § 69, Abb. 155 $r = \frac{p}{1 - \varepsilon \cdot \cos \varphi}$	$\varepsilon < 1$	$\varepsilon = 1$	$\varepsilon > 1$
Gang der Untersuchung, § 73 $Q = AC - B^2$ $G = Au^2 + 2Buv + Cv^2 + 2Du + 2Ev + F \neq 0$	$Q > 0$ Aufg. 102	$Q = 0$ Aufg. 105	$Q < 0$ Aufg. 103
Zerfallende Kegelschnitte, § 72	$G = 0$ Geraden-paar	$G \neq 0$ $\left\{\begin{matrix} AE = BD \\ BE = CD \end{matrix}\right\}$ Parallelen-paar Aufg. 106 Aufg. 109	$G = 0$ Geraden-paar Aufg. 104 Aufg. 107

Stichwortverzeichnis

(Die Zahlen beziehen sich auf die Seiten)